Colección
Crecimiento Espiritual

Pan House
Casa Editorial

Editorial PanHouse
www.editorialpanhouse.com

Edición general:
Jonathan Somoza
Gerencia general:
Paola Morales
Gerencia editorial:
Barbara Carballo
Coordinación editorial:
Daniel Valente
Edición de estilo:
Mayerling Moreno
Corrección ortotipográfica:
Rosa Raydán
Diseño, portada y diagramación:
Aarón Lares

1era. Edición 2021:
ISBN: 978-980-437-050-2

2da. Edición 2022:
ISBN: 978-628-95208-0-4

Rodrigo Riaño del Castillo

DIARIO DE UN
VENCEDOR

Un plan de acción para conectar con Dios y su propósito

PanHouse

ÍNDICE

Dedicatoria		9
Sobre el autor		11
Prólogo		13
Comentarios		15
Introducción		19

CRECIMIENTO ESPIRITUAL

Devocional 1	Recibe	23
Devocional 2	Créelo	27
Devocional 3	¿Qué estás dispuesto a hacer por tu milagro?	31
Devocional 4	Agradece de antemano	35
Devocional 5	Recuerda lo que ha hecho por ti	39
Devocional 6	Permítele transformar tu corazón	43
Devocional 7	Obedece a Dios	49
Devocional 8	Cultiva una vida de oración	55
Devocional 9	Escúchalo	59
Devocional 10	Piensa	63
Devocional 11	Aprende a esperar	67
Devocional 12	Descúbrete	71
Devocional 13	Rompe	75
Devocional 14	Regala	81

CRECIMIENTO PERSONAL

Devocional 15	Perdona	87
Devocional 16	Deja atrás tu pasado	91
Devocional 17	Aprende	97
Devocional 18	No te desesperes	103
Devocional 19	Cuida	109
Devocional 20	Libérate	115

Devocional 21	Acéptate	119
Devocional 22	Fortalécete	125
Devocional 23	Motívate	131
Devocional 24	Protégete	137
Devocional 25	Disfruta	141
Devocional 26	Valora y agradece	145
Devocional 27	Aprovecha	151
Devocional 28	Ama	157
Devocional 29	Tolera	161
Devocional 30	Reflexiona	167
Devocional 31	No dudes	173
Devocional 32	No te des por vencido	177
Devocional 33	No des ventaja	183
Devocional 34	No te condenes	187
Devocional 35	No te atemorices	193
Devocional 36	No te conformes	197
Devocional 37	Ilumina	201
Devocional 38	Confía	207
Devocional 39	Derriba esquemas mentales	211
Devocional 40	Permanece firme	215
Devocional 41	Adáptate	219
Devocional 42	Levanta el ánimo	223
Devocional 43	Cuida tu conciencia	227
Devocional 44	Piensa bien	231
Devocional 45	Ayuda	235

LIDERA TU FAMILIA

Devocional 46	Fortalece lazos familiares	241
Devocional 47	Comunícate con el corazón	245
Devocional 48	Aprende a escuchar	249

Devocional 49   Aprende a pelear   253
Devocional 50   Aprende a entender   257
Devocional 51   Aprende a invertir   263
Devocional 52   Reconoce las virtudes del otro 267
Devocional 53   Conviértete en un reparador 271

LIDERA TU VIDA
Devocional 54   Haz un inventario   279
Devocional 55   Analiza   285
Devocional 56   Desea   291
Devocional 57   Actúa   295
Devocional 58   Define tus prioridades   299
Devocional 59   Determínate   305
Devocional 60   Mira a Jesús   311

Referencias   315
Bibliografía   316
Ciberbibliografía   318

Dedicatoria

Este libro va dedicado a dos personas que marcaron mi vida desde niño: mis padres. Mi padre nos reunía todas las noches para explicarnos un texto bíblico, para orar en familia y cantar juntos. Gracias a él aprendí el valor del tiempo devocional. Este momento familiar se convirtió en un hábito tan fuerte que marcó mi vida, yo diría que la transformó.

Ahora mi padre ya no está con nosotros, partió en febrero del año 2012; pero lo que sembró en mi vida no solo me ha sostenido, sino que hoy se ha multiplicado con los audios que compartimos diariamente a miles y miles de familias en todo el mundo. Un mensaje que quiero compartir contigo a través de este libro, *El diario de un vencedor*.

Gracias Heriberto Riaño Riaño y Gladys del Castillo, por influenciar mi vida y por ser parte de la transformación de toda una generación.

Sobre el autor

Rodrigo Riaño del Castillo es locutor con énfasis en periodismo para radio y televisión. Nació en Colombia el 13 de septiembre de 1970. Desde muy pequeño se apasionó por la radio gracias a su abuelo materno. A sus diez años recibió un radio transistor como regalo por parte de su padre y comenzó a imitar las voces de grandes locutores. Teniendo tan solo quince años de edad inició sus estudios como locutor y en ese mismo tiempo se vinculó con diferentes emisoras locales. Compartió cabina con grandes voces y maestros de la radio en Colombia. A sus veinticinco años comenzó sus estudios de Teología y lideró espacios con temas de conexión espiritual en los distintos programas radiales.

Durante treinta y cinco años de experiencia como comunicador fue *voice over* para diferentes emisoras colombianas, lector de noticias, narrador deportivo, voz comercial para diferentes marcas nacionales e internacionales y fue nominado como mejor voz comercial masculina y mejor voz noticiosa del año para los Premios LP Music en los años 2002 y 2003, consecutivamente.

Específicamente, se ha desempeñado como la voz comercial de *La banda deportiva* para RCN Radio en Antena 2 (Cali), voz de *Noticias de Uno* de la emisora Radio Uno (Cali) de la cadena RCN, entre otras.

Realizó sus estudios como *coach*, orador y capacitador en el Estado de Florida en los Estados Unidos, obteniendo un certificado internacional por John Maxwell Team para América Latina. Actualmente es conferencista y *coach* de crecimiento espiritual, personal y de liderazgo, autor y productor de *podcasts* y líder general de la empresa Ser mejor S.A.S.

Su experiencia como lector de noticias en la radio lo hizo enfrentarse a las realidades sociales del país y al dolor que viven cientos de personas sin esperanza. Por esto decidió conectar la comunicación y la teología, sus dos grandes pasiones, para crear *Devocionales en línea con Dios*. Estos mensajes relatan verdades espirituales profundas a través de historias que llegan diariamente a las diferentes plataformas digitales. Cree que los cambios que perduran se dan desde adentro, y que solo quienes realmente se transforman pueden ayudar a la propia transformación de otros.

Su mensaje: transformados para transformar.

Su propósito: liderar una comunicación transformacional, ayudando a miles de personas en el mundo a volver su mirada a Dios, a liderar su propia vida y a gestionar su crecimiento espiritual y personal.

Prólogo

Una noticia inesperada cambió el rumbo de mi vida. En esos momentos me sentía invencible, sentía que me estaba comiendo el mundo. Tenía fama, fortuna y reconocimiento, sin embargo, en tan solo unos minutos la palabra cáncer se lo robó todo. Mi mundo se derrumbó ante mis ojos, pero cuando pensé que todo estaba perdido, de momento Dios me recordó para qué había venido a la Tierra.

Verás, en mi infancia y juventud yo era una oveja descarriada, quizá si me hubieras conocido en ese tiempo, te costara trabajo creer que esa era yo. Pero Dios es tan perfecto que no se le escapa nada y a través de mi caminar en la fe me ha ido formando en mi carácter, me levantó de lo oscuro, me recogió y me amó sin importar mi pasado ni mis errores.

No obstante, a pesar de todo esto yo era una cristiana cómoda de esas que hacen obras, que dan diezmos y que van a la iglesia, simplemente hasta ahí llegaba mi devoción.

Cuando esta terrible enfermedad llegó a mi vida, me sentí desorientada, defraudada, hasta enojada al punto de reclamarle al mismísimo Dios, sin embargo, ese era tan solo el punto de partida. A los días de haber sido diagnosticada y en medio de la confusión, recibí un mensaje de audio por WhatsApp.

Cuando lo abrí escuché una voz de aliento, era como si ese mensaje había sido enviado por Dios, me dio tanta paz que en ese momento sentí que no estaba sola. Era la voz de Rodrigo con un mensaje de fe, con el que me decía que a pesar de la adversidad no me diera por vencida porque esto tan solo era una prueba para formar mi carácter y que al final de este desierto vería la luz.

Desde ese instante sus devocionales con Dios se convirtieron en mi herramienta espiritual, en ese apoyo que necesitaba cada día para levantarme reafirmando mi fe en que Dios podía sanarme y para saber que a pesar de que el enemigo tratara de derrocarme, Dios estaba caminando de la mano conmigo sin soltarme.

Rodrigo se convirtió en un amigo al que nunca había visto y sus mensajes cada día eran más fuertes. Me hizo entender que en este mundo donde la gente es tan dura e indiferente, Dios utiliza instrumentos como él para darnos la confianza que necesitamos y para regresar al propósito que Él tiene para nosotros.

Un día me atreví a escribirle por Instagram y para mi sorpresa me respondió y desde ahí, no solo me ha dado esperanza y fe a mí, sino también a las miles de mujeres que trabajan conmigo a través de mi programa Fabulosa y fit.

Este libro es una muestra de lo que Dios hace para demostrarte cuánto te ama. En cada capítulo su mensaje es claro y contundente, te lleva de la mano para trabajar todas esas áreas que necesitan ser restauradas y te acerca a la única verdad que Él quiere que sepas: que Jesús es tu Salvador, que te ama tanto que sacrificó su vida por ti y que regresó para darte vida eterna.

Así que no lo dejes de leer, porque al igual que yo, con él podrías encontrar las respuestas a todo lo que necesitas saber para caminar de la mano con Dios y prepararte para la vida eterna.

Gracias Rodrigo por acompañarme con tus devocionarios en ese proceso de cáncer, por hacerme entender que no llegó a mi vida para aniquilarme, sino para ayudarme a conocer el propósito que Dios tiene conmigo, porque, como dice su Palabra: *"Si vivo, es para el Señor y si muero, para el Señor moriré. Así pues, sea que viva, o que muera, mi vida ya no me pertenece, mi vida es del Señor"*. Romanos 14:8.

INGRID MACHER
Celebrity Transformation Coach.Empresaria, Fundadora
y Presidente de Burn20™ LLC. "La hispana más influyente en materia
de salud y bienestar en Estados Unidos y Latinoamérica".

Comentarios

"La música siempre ha estado presente en mi vida y en algún momento aprendí que 440 Hz era el estándar para dar afinación a la altura musical. Pues eso exactamente es lo que han significado los devocionales para mí, justo cuando estoy un poco desafinado espiritual o emocionalmente, llega un devocional tan perfecto que siento como si me estuviera hablando solo a mí, gracias a esto empecé a compartir los devocionales y ahora puedo asegurar que también sirven para afinar la vida de muchos amigos y familiares. Gracias Rodrigo Riaño del Castillo, por tus devocionales en línea".

LUIS FERNANDO TORRES "LUCHO"
Banda de pop urbano colombiana Alkilados.

"Rodrigo Riaño, en su libro *Diario de un vencedor*, nos hace un claro llamado a un proceso de transformación interior y exterior, para luego convertirnos en entes trasformadores de nuestro entorno siendo de impacto en la vida de los demás. Los lectores tendremos las herramientas para crecer en lo espiritual, que nos acercará más a Dios, al poner nuestra mirada en Jesús, pues, Él es el camino hacia una vida transformada y victoriosa. Así también, nos llevará a crecer en lo personal, lo cual nos permitirá tener una mejor valoración de sí mismos, soñar en grande, dejar los pensamientos limitantes. Derivado de ese crecimiento espiritual y personal, el autor nos conduce a liderar la familia como un equipo unido y sano a través del amor, la bondad, la humildad y la comunicación, para finalmente liderar nuestra vida.

Gracias, hermano Rodrigo Riaño, por ser parte de nuestro crecimiento espiritual, personal, y familiar; usted es una persona enviada por Dios para llevar el mensaje de salvación a todas las naciones. Guatemala espera disfrutar de este regalo precioso que Dios le permitió escribir".

MAIRA ARELY LÓPEZ MORALES DE SANTIAGO
Psicóloga. La Mesilla Guatemala.

"Es un honor y una gran bendición poder participar en el *Diario de un vencedor.* Hablar del hermano Rodrigo es hablar de amor en acción, también representa él esa palabra certera, justa, edificante, madura, guiadora, que solo es impartida por tener intimidad con el Espíritu Santo. Sigue adelante amigo, consejero, gracias porque somos confrontados con la Palabra y edificados, como dice la Biblia: *"Por lo tanto, mis queridos hermanos, manténganse firmes e inconmovibles, progresando siempre en la obra del Señor, conscientes de que su trabajo en el Señor no es en vano".* 1 Corintios 15:58 Sus hermanos y amigos en la fe...".

PATRICIA Y SALVADOR ZAPPALA
Líderes espirituales. Argentinos en Madrid, España.

"Hace algunos años, a mediados de los 80, conocí una familia con un padre amoroso, humilde y trabajador. También conocí a su esposa y a sus dos hijos y a todos ellos los admiré mucho. El mayor de ellos era un joven adolescente con una voz grave y fuerte. Recuerdo que le decían: "tú vas a ser locutor". Pasaron los años y me reencontré con ese joven quien ahora es un gran hombre llamado Rodrigo, de quien veo está marcada su vida con el carácter de Jesús. Es usado grandemente con los devocionales y con su ejemplo de vida. ¡Qué bendición eres para mí Rodrigo! Con mucho aprecio...".

HILCÍAS PAVA
Orfebre y amigo personal. Colombiano en Panamá.

"Conocí a Rodrigo Riaño escuchando sus estupendos devocionales basados en la Palabra de Dios. En una oportunidad pensé que estos pudieran reunirse en un libro, me alegra saber que ya es una realidad convertida en el *Diario de un vencedor*.

Estoy segura de que este libro se transformará en una herramienta poderosa llena de bendiciones con un gran propósito, para que cada lector tenga la magnífica oportunidad de alcanzar mayor crecimiento espiritual, logrando así ser un verdadero vencedor de Dios".

BÁRBARA PALACIOS
Teóloga, autora cristiana, conferencista internacional Miss Universo 1986.

"En esta época de adelantos tecnológicos se puede incurrir en olvidar o restarle importancia a valores y principios que son vigentes para cualquier nación o cultura y que son la base fundamental de la salud mental y emocional del ser humano. Rodrigo Riaño del Castillo nos presenta este trabajo de forma espléndida, comprensiva y magníficamente elaborado, con el cual explica los valores de forma útil y muy práctica.

Las ideas contenidas en este trabajo literario, por lo relevantes, nos motivarán a leerlo y a consultarlo constantemente. Tengo la seguridad de que beneficiarán enormemente a todos sus lectores".

OCTAVIO MOLINA CÁRDENAS
Treinta y ocho años de experiencia como docente, consejero y asesor de familia.

"Como hermana de Rodrigo he sido testigo de su crecimiento personal y profesional. Creo que no es posible hablar de aquello que no se ha vivido y es precisamente todo su proceso el que le permite tener autoridad para hablarle a muchos de cómo vivir de acuerdo con el propósito de vida uniendo todas las pasiones y talentos que Dios nos da. Rodrigo ha logrado encontrar que su misión es comunicar un mensaje de fe y esperanza, convirtiéndose en un líder para una red de latinoamericanos alrededor del mundo, influenciando a muchos a transformar y a liderar su propia vida. En esta oportunidad lo hace a través de este libro que a manera de diario nos invita a reflexionar, a detenernos y a reencontrarnos con nosotros mismos, para vencer aquello que no nos deja crecer y lograr lo que tanto anhelamos".

LILIANA RIAÑO DEL CASTILLO
Consultora educativa, autora y formadora de padres y maestros.

"Han sido más de treinta y cinco años en los que he tenido oportunidad de disfrutar de la amistad y calidad humana de Rodrigo Riaño. Dios lo ha dotado de una voz y una calidad comunicativa maravillosa, pero sobre todo, de un corazón dispuesto a servir a los demás. Su éxito como comunicador se lo debe en gran parte a su persistente compromiso de enriquecer la vida de otros. Y lo ha hecho por décadas en la radio, luego en las redes sociales, y ahora en la página impresa. Este trabajo editorial que hoy Rodrigo nos presenta ha sido añejado por años. Y es para disfrutarlo y para compartirlo con nuestros seres queridos".

DONIZETTI BARRIOS
Comunicador Social-Periodista.

Introducción

Hace cinco años empezamos un maravilloso proyecto llamado *Devocionales en línea con Dios*. Nació de una fuerte necesidad de llevar un mensaje de fe y esperanza con el propósito de impactar en la vida espiritual y emocional de las personas.

Esta iniciativa que empezó en Colombia con 75 personas, actualmente se ha convertido en un mensaje para miles de latinoamericanos alrededor del mundo, quienes comparten de manera orgánica cada uno de los *podcasts* que se publican día a día a través de nuestras redes sociales.

Quiero agradecerle a esta comunidad por acompañarme durante estos años y fortalecer este proyecto que se ha convertido en una misión, no de un hombre, sino de una comunidad global.

Es por eso que quiero presentarte este libro llamado *Diario de un vencedor*. Este tesoro que tienes en tus manos nace como un llamado a la acción, para ser personas de testimonio que impacten en la vida de otros, ¿y sabes por qué? Porque en este proyecto creemos que los cambios que perduran son los que se producen desde adentro, en el corazón y en el área espiritual de cada uno.

Este libro compila sesenta devocionales que comunican verdades espirituales profundas a través de historias y ejemplos tomados de la Biblia. Doy fe de que en estas páginas vas a encontrar mensajes que contribuirán al fortalecimiento de tu vida en diferentes aspectos que son fundamentales: el crecimiento espiritual; el crecimiento personal y el liderazgo.

Cada devocional está acompañado de un momento de reflexión, en el cual espero que te detengas en la intimidad de la lectura y te tomes el tiempo de analizar tu propia vida para tener un nuevo comienzo. Te aseguro que, si haces este ejercicio de reflexionar sobre ti mismo y entregas el resultado de tu meditación en manos de Dios, vas a encontrar muchas respuestas que solo están en Él.

Es mi deseo que tengas una experiencia personal que te ayude a reencontrarte con Dios y con lo que Él tiene preparado para ti. Recuerda: somos **transformados para transformar,** porque solo quienes realmente se transforman pueden ayudar a otros.

¿Estás preparado? Entonces, ¡empecemos!

Un abrazo y bendiciones para todos. Con cariño...

RODRIGO RIAÑO DEL CASTILLO

CRECIMIENTO ESPIRITUAL

Los cambios que perduran son aquellos que se dan desde adentro, en el mundo espiritual de las personas. Cuando te conectas con Dios y construyes una relación íntima con Él, vas a encontrarte con muchas de las respuestas a las preguntas que te has hecho sobre tu vida y esto te ayuda a crecer espiritualmente. De esta manera, Él sanará tu corazón y te dará un nuevo comienzo. ¡Es tiempo de empezar una nueva vida!

Devocional 1
Recibe

Me gustaría compartir contigo una historia que escuché en una ocasión y que tiene una valiosa enseñanza. Vamos a leerla:

«Cuentan que una vez un niño le preguntó a su padre de qué tamaño era Dios. Entonces el padre, al mirar el cielo vio un avión y le preguntó a su hijo: "¿De qué tamaño es ese avión?". El niño le contestó: "Muy pequeñito, papá. Casi no lo veo". Luego, el padre lo llevó al aeropuerto y al estar cerca de un avión le preguntó: "Y ahora, ¿de qué tamaño lo ves?". Y el niño respondió: "Inmenso, papá. ¡Muy asombroso! ¡Es enorme!". Mirándolo a los ojos, el padre le dijo: "Del mismo modo es Dios para ti. Su tamaño dependerá de la distancia que tú tengas con Él. Cuanto más cerca estés de Dios, mayor Él será en tu vida"» (Rodríguez & Rodríguez, 2018).

El mensaje para ti y para mí es bastante claro: acerquémonos a Dios y conozcámoslo más allá de su grandeza. Su deseo es que abracemos todo ese amor inagotable que Él tiene para darnos. ¿Sabes algo? Cuando estamos cerca de Dios podemos percibir su inmensidad, entender su infinito amor, comprender sus propósitos y vivir con la paz que nos da el creerle a Él.

Pero ¿sabes qué pasa cuando nos alejamos? Empezamos a verlo tan pequeño que no somos capaces de reconocer su poder. Esto nos hace vivir llenos de incertidumbre y angustia; incluso, perdemos nuestra paz porque nos sentimos solos. ¿Te ha pasado?

Nuestra percepción de Dios y de su amor por nosotros cambia de acuerdo a la distancia que tengamos de Él, como le sucedió al niño con el avión. Piensa por un momento: ¿qué tan cerca estoy de Dios? Si tu respuesta es «lejos», ¡acércate! porque «Él nunca te rechazará» (Juan 6:37).

Dios te ama desde antes que nacieras, incluso. El salmista dijo que sus ojos están sobre aquellos que le temen y que esperan en su amor, en su misericordia (Salmo 33:18).

Cuando el apóstol Pablo oraba de rodillas ante el Padre por los creyentes, pedía que fortaleciera nuestro ánimo y nos afirmara en su amor, porque solo así, «firmes y cimentados», podríamos comprender la plenitud del mismo.

Imagina cuán inmenso es, que la Biblia dice que no podemos entenderlo (Efesios 3: 16-19). Siempre que permanezcamos cerca de Dios y hagamos de su amor nuestro fundamento y fortaleza, podremos descansar de los afanes que nos rodean.

¡Sí! Dios quiere darte de su amor abundante, así lo ha declarado a través de su palabra en muchísimos pasajes. Uno de ellos aparece en el libro del profeta Jeremías, donde menciona: «Con amor eterno te he amado. Por tanto, te prolongué mi misericordia» (Jeremías 31:3).

Otra de esas hermosas declaraciones aparece en 1 Juan 4:19, donde leemos que Dios no solo nos amó, sino que «nos amó primero». Pero la más grande y la primera de todas, la cual aprendí de mis padres, es la siguiente: «De tal manera amó Dios al mundo que dio a su único hijo para que todo el que crea en Él no se pierda, sino que tenga vida eterna» (Juan 3:16). Y así como estas, existen muchas más declaraciones de su amor hacia nosotros.

Piensa por un momento en cómo te sientes respecto a tu relación con Dios, ¿en qué distancia estás? Si estás lejos, acércate y recibe su amor. No te preocupes si te has perdido en el camino, Él te está esperando para levantarte porque su amor por ti es eterno, perdonador y restaurador.

Vuelve a Dios sea cual sea la condición en la que estás y Él sanará tus heridas. Te aseguro que en la paz que otorga su amor recibirás todo lo que Él tiene para darte.

ACCIÓN TRANSFORMADORA

Nro. 1: Acércate a Dios, no te alejes.

REFLEXIONA Y ACTÚA:

¿Has estado lejos de Dios?

_____

_____

_____

_____

¿Cómo te sentiste en ese momento?

_____

_____

_____

_____

¿Cómo está tu relación con Dios hoy?,
¿cercana o distante?

_____

_____

_____

_____

¿Qué estás haciendo en este momento
para acercarte más a Dios?

_____

_____

_____

_____

Devocional 2
Créelo

Hay una verdad de la cual debes estar seguro y totalmente convencido y es que Dios quiere bendecirte, ¡así que no desmayes, ni te des por vencido! Sé que has vivido situaciones difíciles que te han hecho dudar, pero ¡créelo! ¡Dios quiere bendecirte!

En la Biblia nos encontramos con una promesa extraordinaria. Originalmente esta era para Josué cuando emprendió una nueva etapa en su vida, un nuevo compromiso. En esta historia bíblica, leemos que ya Moisés había muerto y la responsabilidad de dirigir a un pueblo con más de dos millones de personas recaía sobre Josué.

Pero el pueblo de Israel tenía una característica particular: no poseían un territorio fijo donde vivir, debido a que venían de caminar por el desierto por cuarenta años. ¡Sí!, leíste bien, ¡cuarenta años caminando por un desierto, y después de haber salido de cuatrocientos años de esclavitud!

Ellos tenían muchos años esperando por el cumplimiento de una promesa que Dios les había dado, en la que aseguraba entregarles una tierra en donde vivir. Pero había una condición: ellos debían conquistarla.

Y es justo en ese escenario en el que Josué aparece como el nuevo encargado de liderar la difícil tarea de conquistar esa tierra prometida. Me imagino lo difícil que debió haber sido para él asumir ese desafío; seguramente en más de una ocasión sintió temor y ansiedad por lo que vendría.

Fue precisamente en este momento de un nuevo comienzo y grandes retos que Dios le entrega una palabra poderosa: que Él estaría con Josué y le daría su bendición en todo lo que emprendiera e hiciera (Josué 1).

Dios desea bendecirte, a tu familia y a tus hijos, de la misma manera en la que lo hizo con Josué. Quizá también has pasado tiempo atravesando el desierto, has vivido momentos difíciles y con problemas como le sucedió al pueblo de Israel. Pero, así como Dios les dio a ellos un nuevo comienzo, también para nosotros hay una nueva oportunidad en la que nuestras fuerzas serán renovadas y nuestra vida cambiará para bien. Eso sí, debemos creerlo.

Ahora pongamos atención a lo que Dios le dijo a Josué antes de darle esta hermosa promesa: «Yo voy a estar contigo. En todo lo que hagas, en todo lo que emprendas, te voy a bendecir».

Hasta este punto todo está muy bien ¿cierto? Esa es la palabra que todos queremos escuchar: ¡bendición tras bendición! Sin embargo, también había una importante condición; le dijo: «Pero hay algo que tú debes hacer: esforzarte».

Eso fue lo que Dios le pidió a Josué para darle su bendición, le pidió que se esforzara y fuera valiente, que no se dejara vencer por el temor y no desmayara. Después de esas palabras, no antes, fue que Dios le dijo: «Si haces eso serás prosperado, te irá bien, tendrás mi bendición y mi presencia».

¿Quieres saber cuántos años tenía Josué cuando Dios le dio esa palabra? Él tenía 85 años ¿puedes imaginarlo? Esto quiere decir que nunca es tarde para levantarnos y conquistar las bendiciones.

Así que vuelve a soñar y a creer; aún estás a tiempo. No permitas que nadie robe ni le ponga límites a tus sueños. Dios quiere bendecirte, solo créele.

Ten en cuenta algo: la tierra que tenía que conquistar Josué estaba habitada por gigantes guerreros. Pero él no se enfocó en qué tan complicadas eran sus circunstancias, sino en la promesa que había recibido. Sus ojos se fijaron en el Dios que hace posible lo que parece imposible. Él creyó en lo que el Señor le había asegurado: que estaría con él y lo bendeciría.

Es probable que lo que tienes frente a ti sea una situación difícil. Puede que recientemente hayas recibido fuertes golpes de las circunstancias. Pese a ello, créele a Dios y empieza a mirar las circunstancias con ojos de fe.

Enfócate en lo que tienes por delante, esa tierra maravillosa que estás a punto de conquistar. Dios tiene una victoria para ti. Después de recibir esa promesa, Josué convocó a los oficiales del pueblo y les dijo que anunciaran por todo el campamento que prepararan comida porque tres días después cruzarían el río y empezaría el arduo trabajo de conquistar la tierra que Dios les había prometido (Josué 1:10).

Josué empezó un nuevo tiempo creyendo que Dios lo iba a bendecir. Así que no permitas que tu mente se llene de la más mínima duda. Insisto, convéncete de que Dios quiere bendecirte.

Cuando sientas que las circunstancias se tornan adversas o en el momento en que las dudas aparezcan para hacerte pensar que no serás bendecido, enfócate en el poder de Dios, porque Él hace posible lo imposible. Atrévete a ver las circunstancias a través de los ojos de la fe.

Si recibiste un diagnóstico médico contrario o una respuesta negativa de algo que estabas esperando, solo persevera creyendo que Dios tiene preparada para ti una enorme bendición y una victoria.

Mira que te mando que te esfuerces y seas valiente; no temas ni desmayes, porque Jehová tu Dios estará contigo en dondequiera que vayas (Josué 1:9).

ACCIÓN TRANSFORMADORA

Nro. 2: Mira tu circunstancia a través de los ojos de la fe ¡y cree!

REFLEXIONA Y ACTÚA:

¿Cómo se llama el desierto que atraviesas hoy?, ¿cuál es tu circunstancia?

_____
_____
_____
_____

¿Cuáles son esos gigantes que aparecen en tu tierra prometida?

_____
_____
_____
_____

¿Qué miedos y qué dudas te asaltan?

_____
_____
_____
_____

¿Qué decides creer?

_____
_____
_____
_____

Devocional 3

¿Qué estás dispuesto a hacer por tu milagro?

■ Sabes cuál es la diferencia entre un obstáculo y una oportunidad?, la actitud que asumimos ante las circunstancias. Respecto a este tema, conozco una historia extraordinaria que está en la Biblia y quiero compartir contigo. Se trata del relato de cuatro hombres que eran amigos de un paralítico, quienes sorprendieron a Jesús por su actitud de fe.

La historia nos cuenta que Jesús estaba dentro de una casa en Capernaúm, donde se había quedado. Estando allí se dedicó a enseñarle a la gente. Cuando todos en la ciudad se enteraron, el lugar se llenó rápidamente, a tal punto que muchos tenían que escuchar desde afuera porque no cabía nadie más.

Es en ese preciso momento entran en acción los protagonistas de nuestra historia: cuatro hombres que buscaban que Jesús hiciera un milagro para su amigo paralítico. Ellos sabían que Él podía sanarlo, pero había un obstáculo: había tanta gente, que a ellos se les hacía imposible acercarse al Maestro.

Ante esa situación, ellos pudieron haberse conformado y decirle a su amigo: «Hicimos todo lo posible, pero como entenderás, no podemos entrar. Hay mucha gente. Ya será en otra oportunidad, pero que conste que te trajimos hasta aquí». A fin de cuentas, lo habían llevado cargado hasta allí.

Esa pudo haber sido la actitud de aquellos hombres ante el obstáculo que se les había presentado; pudiésemos decir que estaba justificada. Sin embargo, ellos no se conformaron con haberlo intentado. Estaban allí por un milagro y no se irían de aquel lugar sin él.

¿Sabes qué hicieron? Subieron al techo, quitaron parte de este, justamente encima de donde estaba Jesús, y por ese agujero bajaron a su amigo en una especie de camilla.

Según la historia bíblica, cuando Jesús vio la fe de los cuatro amigos, le dijo al paralítico: «Hijo, tus pecados te son perdonados». También nos dice que algunas personas que estaban allí pensaron cosas como: «Y este ¿quién se cree para perdonar pecados? Esto solo lo puede hacer Dios». Pero como Jesús conocía lo que ellos estaban pensando, les dijo: «Y ustedes, ¿por qué piensan así? Ahora para que sepan que tengo poder en la tierra para perdonar pecados, vean esto que voy a hacer».

Entonces se dirigió al paralítico y le dijo: «Levántate, recoge tu camilla y vete a tu casa». En ese momento, aquel hombre se levantó de inmediato, recogió su camilla y salió de allí mientras todos lo observaban atónitos, y daban gloria a Dios (Marcos 2).

¿Sabes algo?, esta historia nos deja varias enseñanzas. Fíjate en que estos hombres necesitaban un milagro, así como quizá tú y yo en este momento, pero justo en el camino se les presentaron obstáculos ¿te parece familiar?

No sé si te ha sucedido, como a mí, que se te hayan presentado obstáculos en el trayecto entre tú y la bendición. Pero admiro la actitud de estos cuatro hombres, quienes no se acobardaron frente al problema, sino que lo enfrentaron. No se conformaron con que ya habían hecho algo bueno o lo habían intentado. Hicieron algo más por su amigo ¡eso se llama actitud!

La actitud de ellos se vio reflejada en el hecho de llevar a su amigo cargado, en no haberse dejado vencer por los obstáculos y hacer más de lo necesario para lograr el milagro.

Esta historia también nos dice que Jesús vio la fe de ellos. ¡Ah, esa también es una muy buena enseñanza! La fe puede verse, percibirse; no es solo una fuerza interna, algo que sentimos y pensamos. ¿Sabes cómo Él vio esa fe?, a través de la acción de los cuatro hombres. Entonces, podemos decir que la fe es acción y hecho, no solo se trata de declarar promesas.

La fe es esa actitud que llevó a los amigos del paralítico a tomar acciones. Estos hombres lucharon hasta el final por un milagro y eso fue lo que Jesús vio. Muchas veces pensamos que confiar en Dios consiste solo en decir: «Señor, por favor, ten misericordia de mí. Señor, por favor, ¡ayúdame!».

Pero es importante saber que en ocasiones Dios nos pone a prueba, para ver cuáles son las acciones que tomamos ante los problemas. Es bueno clamar, pero también es necesario levantarnos, tomar decisiones, actuar, caminar o hacer muchísimo más de lo esperado por un milagro. Eso fue lo que maravilló a Jesús, ver a unos amigos que se la jugaron todas por un milagro, por aquello que anhelaban en su corazón.

ACCIÓN TRANSFORMADORA

Nro. 3: Actúa por tu milagro,
no solo declares promesas.

REFLEXIONA Y ACTÚA:

¿Qué milagro necesitas que ocurra en tu vida?

_____
_____
_____
_____

¿Qué es aquello que tanto anhela tu corazón?

_____
_____
_____
_____

¿Qué estás dispuesto a hacer por ese milagro
que tanto necesitas de parte de Dios?

_____
_____
_____
_____

Jesús se maravilló de la fe de estos cuatro amigos.
¿Cómo esperas hoy maravillar a Jesús?

_____
_____
_____
_____

Devocional 4
Agradece de antemano

En el Salmo 28 podemos encontrarnos con una actitud poderosa y realmente transformadora. En esta oportunidad, el protagonista de nuestra historia es David, quien enfrentaba un momento muy difícil en su vida cuando escribió esta oración para Dios.

Si analizamos lo que dice el Salmo, pareciera que la integridad de David corría peligro, tal vez por causa de sus enemigos o por alguna enfermedad. Lo cierto es que, en medio de esa situación, él oró a Dios y dijo: «A ti clamaré, oh Jehová, roca mía, por favor, no te desentiendas de mí» (Salmo 28:1).

Pero en medio de esa oración, hay una frase que me llama muchísimo la atención: «No te desentiendas de mí». ¿En algún momento te has sentido así? ¿Has llegado a pensar que le pides algo a Dios, pero la respuesta no llega, como si Él no te escuchara? ¿Has orado sin parar, pero no has visto señales de cambio o mejora en tu situación? Estoy seguro de que David se sentía así, pero ante esto él hizo algo inteligente: no dejó de buscar a Dios y aun en medio de esas circunstancias oró insistentemente.

Esa es la gran diferencia entre la actitud de David en comparación con la que tomamos muchos de nosotros. Usualmente, cuando nos sentimos así bajamos los brazos, nos quejamos, renegamos y terminamos abandonando la práctica de la oración.

¡Hagamos lo que hizo David! Él intensificó su oración. El cielo se llenó de su clamor: «Dios, por favor, escúchame, no te desentiendas de mí». En otras palabras, le está diciendo: «Señor, ¡mírame, por favor! Aquí estoy de nuevo hablando contigo». Y su oración se profundizó aún más: «Para que no sea yo, dejándome tú, semejante a los que descienden al sepulcro».

Sin duda alguna, David tenía serios problemas, pero eso no lo desanimó. Ahora te pregunto: ¿qué haces cuando tienes problemas?, ¿intensificas la oración o la abandonas?

Es probable que estés enfrentando una situación muy difícil y sientas que no hay salida, pero puedes hacer lo mismo que David: ora con más fuerza, aunque sientas que no hay respuesta. Dile a Dios lo que piensas, porque Él te escucha.

David le pidió a Dios que lo ayudara y tuviera misericordia de él; le rogó para que cambiara las circunstancias que estaba viviendo en ese momento. Sin embargo, la intención de su oración dio un giro inesperado.

Después de expresarle sus sentimientos y luego de pedir su ayuda, la actitud de David tuvo un pequeño cambio muy significativo: «Bendito sea Jehová, que oyó la voz de mis ruegos. Jehová, tú eres mi fortaleza, tú eres mi escudo. En ti confió mi corazón y fui ayudado, mi corazón se gozó en ti, Dios, y con cánticos te daré gracias» (Salmo 28:2- 7).

Leer esto sacude mi mente y mi corazón. Fíjate en cómo el mismo hombre que oró desesperadamente en medio de sus problemas, levantó al Cielo una oración que no solo tenía peticiones, sino un profundo agradecimiento.

La gratitud hacia Dios es una actitud poderosa. Esta permitió que David cambiara su perspectiva de lo que estaba viviendo. Por eso vemos que, aunque al principio él pensaba que Dios no lo escuchaba y que estaba en graves problemas, casi mortales, de repente se llenó de confianza y pudo ver al Señor como su fortaleza y su escudo en medio de ese dolor.

David decidió cambiar la queja por agradecimiento ¿y sabes cuál fue el resultado? Al final dice que fue ayudado por Dios. Es decir que fue esa actitud de agradecimiento la que permitió que cambiaran las circunstancias.

Ahora vayamos un poco más adelante en la Biblia y mira conmigo este relato: en el libro de Lucas se narra la historia de diez leprosos que salieron al encuentro de Jesús y le pidieron que los sanara. De inmediato, Jesús les da la orden de ir a presentarse al sacerdote. Te estoy hablando de un camino aproximadamente de diez kilómetros de distancia. Mientras ellos caminaban y hablaban, se dieron cuenta de que estaban curados. Pero de todos ellos, solo uno regresó a darle las gracias a Jesús por el milagro.

Cuando Jesús lo vio, le preguntó por sus nueve compañeros. Pero gracias a su actitud de agradecimiento, este hombre recibió un milagro adicional: salvación. Sí, nueve fueron sanos, pero solo aquel cuyo corazón estaba lleno de gratitud, fue quien recibió sanidad y salvación (Lucas 17:11-19).

Así como tú, yo también deseo disfrutar de las bendiciones de Dios, pero ¿sabes qué puedes hacer al respecto? Agradécele de antemano por su bondad a pesar de las circunstancias. Lee conmigo lo que nos recomienda el apóstol Pablo: «Demos gracias a Dios en todo y por todo» (1 Tesalonicenses 5:18). Sí, por todo, incluso por aquellas situaciones que parecen adversas y no entendemos, ¿sabes por qué?, porque hasta esas tormentas tienen un propósito.

ACCIÓN TRANSFORMADORA

Nro. 4: Cambia la queja por una actitud de agradecimiento.

REFLEXIONA Y ACTÚA:

¿Qué situación enfrentas que aún no entiendes?

_____

_____

_____

_____

¿Cómo te sientes? ¿Qué emociones te genera esta situación?

_____

_____

_____

_____

¿Qué has aprendido en medio de esta situación?

_____

_____

_____

_____

¿Qué razones encuentras para agradecer?

_____

_____

_____

_____

Devocional 5
Recuerda lo que ha hecho por ti

Todos hemos escuchado alguna vez que no es bueno quedarnos estancados en el pasado. Eso es verdad, pero también es cierto que hay muchas cosas que sí son importante recordar. Si te preguntas cuáles son esas cosas, se trata de aquellas que Dios ya ha hecho por nosotros.

David tenía eso muy presente, por esa razón, vemos que en el Salmo 103 escribió: «Bendice, alma mía, a Jehová, y no olvides ninguno de sus beneficios». Recordar las bendiciones que Dios ya nos ha dado fortalece nuestra fe, es la mejor manera de alentar nuestro espíritu y mantener sana esa área de nuestra vida, a pesar de los conflictos personales que podamos estar enfrentando.

Fíjate en la experiencia del pueblo de Israel: fueron esclavos durante 430 años y luego pasaron cuarenta años dando vueltas por el desierto. Lo más impresionante es que incluso en esas circunstancias tan difíciles, la historia bíblica nos narra que no se preocuparon por nada durante todo ese tiempo. Cuando tenían hambre, bajaba maná del cielo; si les daba sed, Dios hacía brotar agua de una roca; y tampoco se preocupaban por ropa, debido a que sus vestiduras no se desgastaron en todo ese tiempo (Deuteronomio 8:3-4).

Tenían muchas vivencias extraordinarias para recordar. Pero cuando llegó el momento de cruzar el río Jordán, ellos sabían que todo sería diferente y su mentalidad de esclavos sería cosa del pasado. Ya no debían esperar que la provisión llegara del cielo, como sucedía en el desierto, sino que a partir de ese evento tendrían que conquistar y poseer la tierra que Dios les había prometido a sus antepasados.

Fue en ese punto de la historia cuando Moisés, «el gran hombre de Dios», entendió que su misión estaba a punto de finalizar. El desierto había quedado atrás y él ya estaba en los últimos días de su liderazgo. Moisés sabía perfectamente que cruzar aquel río no era su tarea. Entonces decidió darle al pueblo un último consejo, una recomendación oportuna considerando las situaciones que iban a enfrentar.

¿Te gustaría saber qué le dijo Moisés al pueblo de parte de Dios? Lo puedes encontrar en Deuteronomio 9:1, donde dice: «Oye, Israel: tú vas hoy a pasar el Jordán, para entrar a desposeer a naciones más numerosas y más poderosas que tú, ciudades grandes y amuralladas hasta el cielo [...]». Aunque la intención de este líder era alentar la fe de ellos recordándoles el poder y las promesas que Dios les había dado, asegurándoles que iba a derrotar a sus enemigos y les daría esa tierra nueva, Moisés también quería dejarles en claro que eso sucedería únicamente porque el Señor así lo había dicho. Por eso les dijo: «Él irá delante de ti»; luego añadió: «No pienses en tu corazón... por mi justicia me ha traído Jehová a poseer esta tierra» (Deuteronomio 9:4).

Moisés les aclaró reiteradas veces que la gran conquista de la tierra prometida no sería por causa de sus méritos, porque ellos eran un pueblo que en más de una ocasión fue infiel a Dios; al contrario, ellos recibirían la tierra por causa del amor, la misericordia y la fidelidad de Dios a la promesa que había dado a sus padres (Deuteronomio 9:5).

Moisés primero les recordó los errores que habían cometido con el propósito de hacerlos conscientes del perdón de Dios y de cómo Él los había sacado de la condición de esclavos, les dio libertad y los restauró. Pero al final les dijo que era el mismo Dios quien esperaba que ellos «lo amaran y le sirvieran con todo su corazón y con toda su alma» (Deuteronomio 10:12).

¿Puedes hacer memoria de todas las ocasiones en las que Dios te ha levantado?, ¿cuántas veces Él ha tendido su mano sobre tu vida y la de tu familia?, ¿de cuántos milagros has sido testigo? Recuerda que gracias a Él tienes una nueva vida.

Así como lo hizo Moisés, me gustaría darte un consejo oportuno de un amigo a otro: cuando recibas la bendición, reconoce con un corazón agradecido lo bueno, amoroso y misericordioso que Dios ha sido. En el momento que se presente la oportunidad que estabas esperando «no te olvides de dónde te sacó Dios» (Deuteronomio 6:10). Te aseguro que, así como te ayudó antes, lo hace ahora y lo seguirá haciendo. Ámale y sírvele con todo tu corazón y tus fuerzas, y no olvides ninguno de los beneficios que ya has recibido de Él. Recuerda que Dios es fiel y justo.

ACCIÓN TRANSFORMADORA

Nro. 5: Recuerda lo que Dios hizo por ti.

REFLEXIONA Y ACCIONA:

¿Qué beneficios has recibido de parte de Dios?

_____

_____

_____

_____

¿De qué milagros has sido testigo?

_____

_____

_____

_____

Dios sacó al pueblo de Israel de Egipto de donde era esclavo y lo hizo un pueblo libre en una nueva tierra. ¿De dónde te sacó Dios y qué eres ahora?

_____

_____

_____

_____

Devocional 6
Permítele transformar tu corazón

Quiero compartir contigo algo que me ha ayudado a tener una perspectiva más profunda de lo que Dios hace en nuestras vidas: Él está más interesado en cambiar tu corazón que tus circunstancias. ¿Quieres saber por qué?, resulta que los cambios más perdurables en el tiempo son aquellos que se producen dentro de nosotros. En pocas palabras, si logramos cambiar nuestro interior, podríamos cambiar nuestras situaciones externas.

Imagina que tu corazón y el mío son un terreno fértil en el que vamos a cosechar de acuerdo a la semilla que sembremos. Ahora bien ¿te has puesto a pensar en lo que sucede cuando la semilla que colocamos es la del rencor?

Por lo general, cuando dejamos que las diferencias o los desacuerdos que tenemos con las personas aumenten y no los arreglamos a tiempo, estos se convierten en una semilla que va a crecer, y sin darnos cuentas echará raíces de resentimiento, y posteriormente dará un fruto de amargura contra las personas que nos rodean.

Lo más triste es que ese dolor y resentimiento dentro del corazón termina por afectar nuestra manera de hablar, acciones y la manera de relacionarnos. Esa semillita que sembramos y abonamos en nuestro interior acaba por convertirse en una amargura que envenena nuestra vida y afecta nuestras relaciones con los demás, incluyendo a Dios.

Si dejas crecer esa semilla de amargura en tu alma, al final te convertirás en una persona llena de constantes quejas y de desconfianza con tu entorno.

Uno de los mensajes bíblicos más importantes que aprendí en mi niñez está en la carta para los Hebreos; esta ha sido para mí una clave de vida que me ha ayudado a tener cuidado con aquellas semillas que puedan entrar en mi corazón. Lo compartiré contigo: «No permitan que brote ninguna raíz venenosa de amargura en sus corazones, porque luego eso los va a trastornar y después va a envenenar a muchos» (Hebreos 12:15).

Esto quiere decir que existen ciertas semillas que dejamos entrar a nuestro corazón, las cuales germinan y crecen como maleza. Esto es a lo que Dios llama amarguras venenosas, y estas destruyen el corazón, trastornan la vida e intoxican a otras personas.

Cuando estas semillas germinan, crecen e inquietan nuestra vida. Estas son la causa de la mayoría de los problemas con los que lidiamos. Por esta razón es muy peligroso permitir que esas raíces de dolor y amargura entren y se arraiguen en nuestro corazón.

Quizá en este momento estés pensando en que tienes razones muy dolorosas y fuertes para dejar que la amargura permanezca arraigada en tu corazón, pero esto no te dejará vivir en paz. Mi consejo como amigo es que permitas que «la paz de Cristo gobierne tu corazón» (Colosenses 3:15).

Si hasta este momento has actuado a tu manera, dejándote llevar por tus razones, entregándoles tu corazón a las personas incorrectas, poniendo tu esperanza en cosas que te decepcionaron y sientes que cometiste muchos errores, permítele a Jesús ser el Señor de tu vida, quien gobierne tu corazón y lo limpie. Esta es la mejor manera de convertir esas equivocaciones en las mejores lecciones de tu vida.

Ya sabemos que el origen de muchos de los problemas que tenemos, es esa pequeña semilla que dejamos entrar y dañó nuestro corazón. Ese dolor que cultivamos durante muchos años tiene el potencial de afectarnos y perjudicar nuestro entorno.

Deja que Dios sea la mayor autoridad en tu vida y permítele cambiar tu corazón; de esta manera podrás tener una perspectiva transformada, con mayor entendimiento de cuáles cosas debes aprender para salir fortalecido y victorioso.

ACCIÓN TRANSFORMADORA

Nro. 6: Entrega tu vida a Dios, perdona y comienza de nuevo con un corazón libre de amargura.

REFLEXIONA Y ACTÚA:

¿Cuáles son esas semillas que has dejado entrar a tu corazón?

_____

_____

_____

_____

¿Recuerdas desde cuándo?

_____

_____

_____

_____

¿Qué problemas te han generado las semillas de amargura, de ira, de venganza?

_____

_____

_____

_____

¿A quiénes has contaminado con ese dolor?

_____

_____

_____

_____

Toma una decisión: perdona para que puedas así avanzar porque la amargura te detiene. Escribe la situación o la persona que te causa tanto dolor, entrégala a Dios, descansa y deja que gobierne en ti su paz.

_____

_____

_____

_____

Devocional 7
Obedece a Dios

¿Recuerdas que en días anteriores hablábamos respecto a que la razón de nuestras victorias está en las promesas que Dios nos da, en las cuales nos garantiza bendiciones en todas las áreas de la vida? En el devocional del día 2 compartíamos sobre lo que el Señor le prometió a Josué: «Mira que te mando que te esfuerces y seas valiente; no temas ni desmayes, porque Jehová tu Dios estará contigo en dondequiera que vayas» (Josué 1:9).

En ese devocional te hablé sobre la importancia de ser conscientes sobre el hecho de que Dios quiere lo mejor para nosotros. En definitiva, Él desea que nos vaya bien.

Sigamos hablando de Josué. Ya sabemos que recibió una promesa, pero ¿te has preguntado sobre las dificultades que enfrentó por ser el responsable de liderar al pueblo de Dios para conquistar la tierra prometida? El día de hoy vamos a descubrir los retos que enfrentó y las acciones que tuvo que emprender en obediencia al Señor.

Todos queremos que Dios nos dé nuevas oportunidades y nos permita conquistar sus promesas, como fue el caso de Josué y el pueblo de Israel. Pero si te fijas bien, aunque esa tierra anhelada había sido garantizada por Dios y era su bendición, ellos debían conquistarla. Es decir, Dios tiene muchas bendiciones preparadas para nosotros, sin embargo, debemos conquistarlas.

Si lees completo el primer capítulo del libro de Josué, descubrirás que además de las promesas de Dios, también aparecen los obstáculos que debían enfrentar en el camino hacia esa nueva tierra. Es decir, que si el pueblo quería la bendición entonces debía ir, levantarse, vencer obstáculos y conquistarla.

Entre esos obstáculos, el primero que enfrentaron fue el río Jordán. En esa época no existía un puente para cruzar aquel río de casi cuatro kilómetros de ancho. Sin duda ese era un gran inconveniente en su travesía para conquistar la tierra. Así que si querían llegar al sitio donde Dios les tenía la bendición, debían atravesar el Jordán.

El segundo problema que debían enfrentar, ya del otro lado del río, eran los habitantes de la tierra que tenían que conquistar: esta estaba llena de gigantes. ¡Sí! Leíste bien ¡eran gigantes! Además, eran guerreros experimentados, fuertes y en gran número. Por último, el tercer desafío que los esperaba era el hecho de que esa tierra era muy extensa y desconocida para ellos.

Ellos tenían estos tres obstáculos frente a ellos y la única manera de conquistar la tierra de bendición que Dios les quería dar era superando esas barreras. Y es en ese escenario en el que Dios le da una promesa maravillosa a Josué: «nadie te podrá hacer frente»; ni el río inmenso, ni los poderosos y gigantes guerreros. Tenía la enorme responsabilidad de hacer que miles de hombres, mujeres, niños, ancianos y ganado cruzaran el río, con la garantía de que todo saldría bien.

Ahora te pregunto, si Dios te diera esa misma promesa ¿la creerías? Cuando tratamos de sacar un proyecto, y en la vida en general, cuando enfrentamos dificultades que nos traerán momentos de incertidumbre. Estas situaciones pueden llenarnos de dudas, miedos y son las que hacen aparecer los «Y si...» que pueden llegar a detenernos: «¿Y si no puedo hacer frente a esta situación?», «¿Y si se acaba la provisión?», «¿Y si no puedo?», «¿Y si no me sale bien?», «¿Y si fracaso?».

Pero como Dios fue quien nos creó, conoce nuestra mente y sabe que nos hacemos todas estas preguntas, Él se anticipa y frente a cada dificultad nos da una promesa, como lo hizo con Josué. Es por eso que frente al temor de esa extensa y desconocida tierra prometida, le dijo algo extraordinario: «Todo lugar que pise la planta de tu pie será tuyo» (Deuteronomio 11:24).

Dios tiene lo mejor para nosotros y nos ha dado un propósito de vida, que viene acompañado de muchos sueños que debemos conquistar. Sin embargo, en ese camino se van a presentar barreras. Recuerda que, si estás caminando tras esa visión que Dios depositó en tu corazón, todo te saldrá bien y nadie te podrá hacer frente; no importa la dificultad que estés atravesando, porque Él te prometió que saldrías victorioso.

¡Pero espera! Esto no termina allí. Hay algo que debes saber, y es que Él también espera algo de ti. Sí, Dios quiere que tengas éxito en todo lo que emprendas y esa es la razón por la cual te da sus promesas, pero estas siempre vienen acompañadas por condiciones.

La primera de estas condiciones la podemos ver cuatro veces en el capítulo uno. ¿Sabes cuáles? Sí, son: «Esfuérzate y sé valiente, no temas ni desmayes». Luego vemos que Dios le dice: «Nunca se apartará de tu boca este libro de la ley, sino que de día y de noche meditarás en él para que guardes y hagas conforme a todo lo que en él está escrito».

Fíjate bien en esas dos palabras: guardar y hacer. Dios simplemente le estaba pidiendo a Josué que obedeciera sus estatutos. Al final le asegura lo siguiente: «Si haces eso, entonces harás prosperar tu camino y todo te saldrá bien» (Josué 1:8). En definitiva, la obediencia a Dios produce resultados de éxito en nuestra vida.

ACCIÓN TRANSFORMADORA

Nro. 7: Sé fiel a Dios y no te apartes de su camino.

REFLEXIONA Y ACTÚA:

¿Cuáles son aquellos sueños que quieres conquistar?

_____

_____

_____

_____

¿Qué obstáculos se te han presentado para
conquistar ese sueño que tanto anhelas?

_____

_____

_____

_____

¿Qué has hecho ante los obstáculos?

_____

_____

_____

_____

¿Te has dado por vencido?

_____

_____

_____

_____

¿Cuál es la promesa que Dios te da hoy?

_____

_____

_____

_____

¿Cuál es la condición para recibir esa promesa?

_____

_____

_____

_____

Devocional 8
Cultiva una vida de oración

La oración es poderosa, cambia las circunstancias y transforma vidas. Eso lo entendían muy bien los discípulos de Jesús, tanto que en cierta ocasión le hicieron una petición muy interesante: «Maestro, enséñanos a orar» (Lucas 11:1).

Si te fijas bien, los discípulos no pidieron que les enseñara a hacer milagros o cómo hablarle a la gente; ellos solo querían aprender a orar. Pero hay algo más en torno a esta petición que vale la pena aclarar: los seguidores de Jesús eran hombres judíos, así que por tradición sabían qué era la oración. Entonces, ¿qué es lo que ellos esperaban aprender?

Por su contexto, me imagino que sus padres les habían dado esa enseñanza, y es probable que hubiesen leído las oraciones que están escritas en los Salmos. Además, seguramente conocían muchas historias de antepasados que recibieron respuesta de Dios a través de sus oraciones. Así que esta no era una práctica desconocida para ellos. Sin embargo, lo que sí era nuevo y diferente para ellos era la manera en la cual Jesús lo hacía.

Recordemos que la Biblia nos muestra que Jesús denunció a los religiosos de la época por hacer oraciones vacías, solo por cumplir un requisito y ser reconocidos. Pero para Jesús, la oración ocupaba un lugar especial, por eso lo encontramos orando en la soledad de lugares apartados, en la noche y en la madrugada; en otras ocasiones lo hizo en público.

También vemos que oraba por sus discípulos y por todos los que creerían en Él. ¿Y sabes qué hizo en uno de los momentos más difíciles de su vida, justo antes de ir a la cruz? Sí, Él oró.

Para Jesús, la oración era su conexión con el Padre, no un rito para calmar la conciencia y sentirse bien con Él mismo o un compromiso moral que debía cumplir. Y eso era justo lo que los discípulos querían aprender: una oración diferente.

Y sin duda lo aprendieron. Cuando Jesús subió al cielo, los discípulos estuvieron orando y ayunando durante diez días, y después de eso vino el Espíritu Santo de Dios sobre ellos y fueron transformados. A partir de allí empezaron a suceder cosas sobrenaturales en sus vidas, se convirtieron en hombres valientes y de fe; la oración los cambió (Hechos 1).

Pero además de esta, en la Biblia tenemos muchas más historias que nos hablan de circunstancias que fueron cambiadas por Dios a través de la oración. Por ejemplo, en el libro de Génesis nos encontramos con un hombre llamado Esaú, quien tenía un corazón envenenado por el deseo de venganza contra su hermano Jacob, porque algunos años antes este le había robado su primogenitura y la bendición de su padre a través de engaños. Es evidente la causa de su odio y dolor. Pero ¿sabes qué sucedió? Tan solo una oración poderosa de Jacob bastó para cambiar las circunstancias. Dios tocó el corazón de Esaú, y lo que pudo ser una tragedia familiar, se convirtió en un hermoso reencuentro (Génesis 32).

También podemos ver la historia de Josafat, uno de los reyes del pueblo de Israel, quien tras recibir la noticia de que sería atacado, convocó al pueblo para que hiciera una oración pública y el resultado fue que Dios los libró (2 Crónicas 20). Por otro lado, tenemos a Ezequías, otro rey, quien enfermó de muerte y Dios le dijo: "Arregla tu casa, porque te vas a morir" (2 Reyes 20). Pero este hombre oró y lloró ante la presencia del Señor y Él le concedió quince años más de vida.

Otra historia nos relata el caso de Ana, una mujer que no podía tener hijos y que era humillada constantemente por su condición. Incluso, la Biblia dice que lloraba y que no comía por causa de su amargura. Pero ella oró a Dios de tal manera que Él la escuchó y le dio un hijo: al profeta Samuel. Luego le permitió tener cinco más. Como puedes ver, la oración cambia las circunstancias ¡créelo!

Esto no quiere decir que debemos considerar que la oración es un medio para que Dios cumpla todos nuestros deseos. Ese no es su propósito. La oración es el medio para relacionarnos con el Señor, la manera a través de la que podemos hablar desde nuestra intimidad, para entregarle nuestra necesidad con plena libertad y confianza. Nosotros escuchamos a Dios por medio de su Palabra, y Él a nosotros por medio de la oración.

ACCIÓN TRANSFORMADORA

Nro. 8: Ora. Habla con Dios todos los días.

REFLEXIONA Y ACTÚA:

¿Cuánto tiempo dedicas para hablar con Dios?

_____

_____

_____

_____

Unos pequeños cambios en tu rutina pueden ayudarte a transformar tu relación con Dios.

¿Cuánto tiempo dedicarás a la oración de ahora en adelante?

_____

_____

_____

_____

¿En qué momento del día lo harás?

_____

_____

_____

_____

Orar es hablar con Dios. Persevera en la oración, hazlo con fe y cree que su voluntad es perfecta. ¿Cuál es la petición que tienes ante Él?

_____

_____

_____

_____

Devocional 9
Escúchalo

Hace algunos años, mientras leía, me encontré una impresionante historia que me dejó una enseñanza muy importante. La compartiré contigo:

«Cuentan que cuando comenzaron a salir los primeros automóviles que funcionaban con manija, un hombre iba conduciendo un automóvil Ford T. Este hombre conducía tranquilo cuando de repente su automóvil se paró y dejó de funcionar. Entonces se bajó del vehículo y empezó a darle manija hasta que se cansó. Una vez más trataba de hacer arrancar el motor; pero no lo logró. Así que levantó el capó del carro y no halló nada anormal, buscó el problema por todos los medios; sin embargo, no lo halló. Después de un buen tiempo, casi exhausto por todos los intentos fallidos, iba a continuar su viaje a pie, cuando apareció otro vehículo. El chofer bajó de su auto y le preguntó qué le pasaba. "Es que mi auto no quiere arrancar", le contestó. El otro hombre se acercó al auto averiado, levantó el capó y después de unos minutos mirando y analizando hizo unos ajustes a unos cables y le dijo al dueño del auto: "Arranque ahora su auto, por favor, arránquelo". Al darle el primer manijazo, el carro empezó a funcionar. Sorprendido el hombre le preguntó: "¿Quién es usted? Llevaba buen tiempo tratando de arreglar este vehículo, pero no podía". A lo que le contestó: "Yo soy Henry Ford, el creador de este auto"» (Palau, 2011).

Como nos narra esta historia, solo el creador del auto lo pudo arreglar ¿sabes por qué?, porque era su obra y lo conocía a la perfección. De la misma manera sucede con nosotros, a veces vamos por el camino de la vida averiados, con nuestros sueños detenidos en el tiempo, intentándolo todo sin lograr resultados; o peor aún, andamos por la vida sin anhelos, sin metas y sin ánimo de seguir, como un auto accidentado en la vía. Pero como sucede en este relato, necesitamos encontrarnos con nuestro creador.

Fíjate en esta otra historia. Esta vez nos iremos a la Biblia. En el libro del profeta Malaquías, vemos cómo Dios le dice a este hombre que le dé una palabra a su pueblo. Les pidió que se volvieran a Él, y que Él lo haría con ellos (Malaquías 3:7).

¿Sabes por qué Dios le dijo eso al pueblo? Porque ellos se habían apartado de Él y habían hecho lo malo ante Sus ojos. Por esta razón, el Señor permitió que cayeran en manos de sus enemigos y fueran enviados al cautiverio. En esa condición se arrepintieron, le pidieron perdón y dijeron que a partir de ese momento sí iban a escucharle. ¿Te parece familiar esta actitud? ¡Sí! Así mismo nos comportamos en tiempo de crisis.

Cuando Dios vio la actitud del pueblo los liberó y regresaron de Babilonia, reconstruyeron la ciudad y el templo, y todo parecía ir muy bien. Pero no duró mucho. Después de que la crisis pasó y ellos superaron el problema, cayeron en la comodidad y perdieron de nuevo la pasión por adorar y honrar a Dios, dejando a un lado su conexión con Él. Esto ya no era parte de sus prioridades y se alejaron por completo de quien los había liberado.

No obstante, Dios levantó a este hombre llamado Malaquías en medio de ese pueblo, y a través de él, les dio esa palabra que leíamos hace algunos instantes: «Si ustedes se vuelven a mí, entonces yo me volveré a ustedes». Sin embargo, ellos eran tan "cabeciduros" (como le decimos en Colombia a las personas testarudas), que le respondieron al profeta: «¿En qué necesitamos volvernos a Dios?».

Si somos honestos, en más de una ocasión hemos actuado como ese pueblo: buscamos a Dios en medio de la crisis y luego nos olvidamos de Él porque estamos muy ocupados en nuestros asuntos. Pero ¿sabes algo? Él quiere orientarnos, mostrarnos su voluntad, guiarnos por el camino correcto y fortalecernos en medio de los momentos difíciles. Él quiere darnos lo mejor de sí mismo, pero respondemos con una actitud de: «Dios, después te escucho, estoy muy ocupado».

Es por eso que constantemente nos vemos envueltos en situaciones complicadas, porque actuamos a nuestra manera, lo que nos lleva a equivocamos una y otra vez ¿sabes por qué sucede? Porque dejamos de escuchar al creador, a quien nos formó y nos conoce al detalle.

¿Por qué crees que cuando compramos un electrodoméstico lo primero que encontramos es un manual de instrucciones? Esto es para garantizar el buen funcionamiento del equipo. De la misma manera, Dios nos ha dejado la Biblia como un manual de vida oportuno y eficaz. Podemos escucharlo a través de esta. Presta atención, Él tiene mucho que decirte, porque sabe qué necesitas.

Piensa por un momento en lo siguiente: si alguien te prometiera regalarte 1 440 dólares con la única condición que de ese dinero le dieras tan solo 40 dólares, ¿se lo darías? Estoy seguro de que sí, porque a fin de cuentas son solo 40 de 1 440. Por si no lo sabías, Dios cada día nos regala mil cuatrocientos cuarenta minutos. Ahora te pregunto: ¿cuánto de ese tiempo le dedicas Dios para escucharle? Detente y vuelve a escucharle. No esperes a que llegue el momento de la angustia. Recuerda que solo Él puede orientar tu camino para que puedas continuar.

«Desde los días de vuestros padres os habéis apartado de mis estatutos y no los habéis guardado. Volved a mí y yo volveré a vosotros» Malaquías 3:7

ACCIÓN TRANSFORMADORA

Nro. 9: Saca tiempo diariamente para leer la Biblia. Deja que Dios oriente tu camino.

REFLEXIONA Y ACTÚA:

¿Cuánto tiempo del día dedicas para escuchar a Dios?

_____

_____

_____

_____

¿Qué actividades haces en familia o con tus amigos para compartir aquello que has aprendido de parte de Dios?

_____

_____

_____

_____

Unos pequeños cambios en tu rutina pueden ayudarte a transformar tu relación con Dios. ¿Cómo crees que puedes organizar tu día para dedicarte a escuchar lo que Dios tiene para ti?

_____

_____

_____

_____

Devocional 10
Piensa

Hoy quiero compartir contigo un ejercicio clave para lograr el equilibrio emocional, especialmente para obtener esa paz interior que tanto necesitamos y buscamos. Es más, la Biblia nos dice que Dios le recomendó a nuestro amigo Josué que lo hiciera para que le fuera bien. También Salomón, el hombre más sabio de todos los tiempos, habló de su importancia, y Pablo nos anima a practicarlo. De igual modo, David, el hombre «conforme al corazón de Dios», lo hacía todo el tiempo.

¿Te imaginas cuál puede ser? Pues te estoy hablando de la meditación, es decir, reflexionar y pensar. El problema es que esta palabra se ha asociado con la práctica metafísica de dejar la «mente en blanco» a través de ciertas prácticas que no tienen nada que ver con el significado que esta tiene en el contexto bíblico. En este sentido, la meditación es el secreto para que nos vaya bien.

Una de las condiciones que Dios le dio a Josué para que él pudiera prosperar en todas las cosas y tuviera éxito en todo lo que emprendiera, era meditar de día y de noche en el *Libro de la Ley* (Josué 1:8-10). Pero ¿qué es el *Libro de la Ley*? Se refiere al Pentateuco o los cinco primeros libros de la Biblia, que era el registro que se tenía hasta ese momento de la palabra de Dios. Entonces, ya sabemos que el Señor nos recomienda que dediquemos tiempo a la meditación de su palabra.

También tenemos el caso de David, quien en una ocasión clamó a Dios para que escuchara su oración y lo librara de sus enemigos. El salmista deseaba ser librado de una fuerte angustia que turbaba su corazón desolado (Salmo 143). Es evidente que él no se sentía bien emocionalmente. Sin embargo, vemos que luego David meditó en todas las obras que el Señor había realizado. Pensó y se acordó de los tiempos antiguos y reflexionó en eso. Fíjate en estas acciones: él pensó, meditó y reflexionó; fijó sus pensamientos en las obras y en el poder de Dios.

La Biblia nos habla en muchos apartados sobre la meditación. Pero ¿en qué consiste? Existen dos palabras hebreas que nos pueden ayudar a encontrar la respuesta: *hāḡāh* y *śîa*. Ambas se traducen como «conversación dentro de la mente». En otras palabras, meditar es un susurro en lo más íntimo del corazón.

Entonces, ¿cuál era la invitación que Dios le estaba haciendo a Josué cuando le dijo que meditara en su palabra de día y de noche? La respuesta es que el Señor quería que Josué leyera y analizara sus estatutos en la intimidad, en un espacio privado con Dios para que así pudiera guardarlas en su mente y corazón, ¿sabes por qué? Porque a pesar de que leer es importante, meditar es trascendental.

Una vez leí que comer es importante, pero lo es mucho más saber qué se come para que haya un buen metabolismo, de lo contrario, puede que las cosas que ingiramos no se transformen en energía y nuestro organismo deje de funcionar correctamente. También aprendí que si se detiene el proceso metabólico el cuerpo corre un grave peligro.

Y si así funciona el cuerpo, ¿qué podemos esperar del espíritu? Para nuestro espíritu no solo es importante leer y escuchar la palabra de Dios, sino fijarla en nuestra mente y corazón para que se convierta en acciones transformadoras. Por eso el apóstol Pablo escribió intencionalmente: «pensemos, meditemos en aquello que honra a Dios, en lo bueno, en lo justo, en lo puro, lo amable» (Filipenses 4:8-9).

Lee y escucha la palabra de Dios, pero sobre todo piensa en ella de tal manera que percibas a Dios susurrando a tu corazón, para que en esa condición Él haga cambios en tu vida.

ACCIÓN TRANSFORMADORA

Nro. 10: Cada vez que leas la Biblia piensa cuáles son los cambios que deben ocurrir en tu vida.

REFLEXIONA Y ACTÚA:

¿Qué mensaje leíste o escuchaste hoy en la palabra de Dios? Escribe el texto bíblico.

_____

_____

_____

_____

¿Qué piensas sobre ese mensaje recibido?

_____

_____

_____

_____

¿A qué acciones transformadoras te invita este mensaje?

_____

_____

_____

_____

Devocional 11
Aprende a esperar

¿Has escuchado o leído alguna vez la historia del broche extraviado? Es un ejemplo extraordinario sobre la importancia de saber esperar. Léela conmigo: «Se dice que una mujer habló por teléfono al gerente de un teatro y le dijo que había perdido su prendedor de diamantes más valioso al asistir a un evento la noche anterior. El hombre le dijo que por favor esperara en la línea, empezó una búsqueda y el prendedor fue encontrado. Cuando regresó al teléfono, la mujer ya había colgado. Esperó a que volviera a hablar, pero no pasó nada. Es más, puso un anuncio en el periódico sin suerte, porque nunca volvió a escuchar de ella» (Calderón, 2018).

Quizá después de leer esta historia pienses, como la mayoría de nosotros, que esta mujer debió ser más paciente y que si tan solo hubiera esperado un poco más hubiese recuperado su broche.

Y es así. En la vida a veces es necesario tan solo esperar un poco más. Pero ¿qué pensarías si te digo que a nosotros nos pasa lo mismo que a aquella mujer impaciente? Nosotros también oramos a Dios, le contamos nuestra necesidad y fallamos al esperar la respuesta, porque la queremos de inmediato.

Esto mismo sucedió con dos personajes bíblicos. El primero de ellos fue un hombre llamado Habacuc. En su libro, que tan solo tiene tres capítulos, vemos que este profeta le presentó una queja a Dios por causa de la maldad e injusticia que veía a diario. Le dijo: «Señor Dios, ¿hasta cuándo clamaré? ¿Hasta cuándo oraré y no me escucharás? ¿Hasta cuándo daré voces a ti a causa de la violencia y no nos vas a salvar? ¿Por qué me haces ver todo esto, Dios? ¿Por qué?» (Habacuc 1:2). A partir de ese reclamo, vemos en todo el libro un diálogo entre Habacuc y el Señor.

El otro personaje que también le hizo la misma pregunta a Dios fue David y lo hizo de la siguiente manera: «¿Hasta cuándo, Jehová, me vas a olvidar para siempre? ¿Hasta cuándo vas a esconder tu rostro de mí?» (Salmo 13). Como puedes ver, tú y yo no hemos sido los únicos en hacer reclamos cuando estamos pasando por momentos de impaciencia y desesperación.

Hay momentos de nuestra vida en los que no entendemos nada de lo que nos pasa, sentimos que estamos a punto de explotar y creemos que ya es suficiente. Entonces decimos: «¡Basta!, ya no soporto más», y como David y Habacuc, también decimos: «¿Hasta cuándo?».

Pero a diferencia de muchos de nosotros, estos dos hombres no se quedaron estacionados en la queja. Después de experimentar este momento tan humano en el que se sintieron dominados por la angustia, ocurrió un giro inesperado.

Empecemos con el ejemplo de David: después de lanzar esta pregunta a Dios, con humildad le pide que por favor le escuche y le responda. A pesar de no tener una respuesta inmediata a su necesidad, él afirmó lo siguiente: «Mas yo en tu misericordia he confiado», y luego añadió: «Mi corazón se alegra en tu salvación».

Ahora te pregunto: ¿qué piensas de la actitud de David? Aunque tuvo un momento de desesperación, le dijo a Dios lo que sentía su corazón, pero a diferencia de la mujer del broche perdido, él permaneció conectado con aquel que podía darle respuesta. ¿Y sabes qué más? A pesar de no tener una respuesta, se alegró y dijo: «Cantaré a ti, porque sé que me has hecho bien».

Esta historia de David nos deja cinco aprendizajes muy importantes:

1. Decidir confiar en Dios por encima de las situaciones.
2. Alegrarse en Dios.
3. Seguir viendo a Dios como su única respuesta.
4. Cantar y adorar a Dios.
5. Declarar que, por encima de no tener una respuesta, podemos confiar en Dios.

Vemos que David creía que Dios siempre le haría bien. En cuanto a la historia de Habacuc, él determinó que esa demora en la respuesta no lo desanimaría. Él dijo: «Permaneceré en mi puesto como un guardia y esperaré a que me hables y respondas» (Habacuc 2:1).

Habacuc permaneció firme como un guardia, aunque no había recibido una respuesta de Dios. En esta historia hay un diálogo maravilloso en el que el Señor insta al profeta a permanecer tranquilo porque, aunque la respuesta parezca demorar, llegará (Habacuc 2:2). Luego cierra de manera magistral diciendo: «Aunque la higuera no dé fruto, ni la viña produzca uvas, aunque la cosecha del olivo se dañe y los campos no produzcan alimento, aunque no haya ovejas en los corrales ni vacas en el establo; a pesar de todo eso, mi Dios, yo me alegraré en ti y me gozaré en el Dios de mi salvación. Porque tú, Dios, eres mi fortaleza» (Habacuc 3:17).

Espera la respuesta oportuna de parte de Dios. Esta llegará en su tiempo. Nunca olvides que Dios nos hace bien, como lo dijo David. Él responderá de acuerdo con nuestra necesidad y no a nuestros caprichos. Espera en Él y Él hará.

ACCIÓN TRANSFORMADORA

Nro. 11: Espera la respuesta. Dios conoce tu necesidad.

REFLEXIONA Y ACTÚA:

¿Le has reclamado algo a Dios en un momento de desesperación?

_____

_____

_____

_____

¿Qué has pensado en este momento?

_____

_____

_____

_____

Cuando ores, entrega tu necesidad a Dios (confía que Él siempre hace bien) y Él responderá en su tiempo y conforme a lo que necesitas y no a tus caprichos. Escribe tu necesidad.

_____

_____

_____

_____

¿Qué emociones te genera esta necesidad? ¿angustia, miedo, desesperación? Mientras esperas, agradécele a Dios por su respuesta.

_____

_____

_____

_____

Devocional 12
Descúbrete

En el año 1994 se presentó la película *La Máscara*, protagonizada por el actor Jim Carrey. ¿La has visto? En esta película vemos la historia de una antigua máscara de madera y metal que posee el poder de adaptarse al rostro y transformar la personalidad de quien la use.

Aunque esta película está catalogada dentro del género de comedia, en cierto sentido refleja una realidad que sucede en la vida de muchas personas. No sé si a ti te ha sucedido, pero a mí sí, que sin darnos cuenta empezamos a usar máscaras para ocultar alguna herida del pasado. Usamos máscaras por miedo a que alguien nos haga daño o porque nuestro pasado avergüenza y preferimos mostrarnos como alguien distinto a quienes somos para evitar el rechazo; queremos escondernos como una manera de protegernos.

En este sentido, existen muchas máscaras que podemos mencionar: tal vez un rechazo te llevó a ponerte una máscara de desamor y a reforzar la idea que no necesitas enamorarte. Puede que hayas sufrido un abandono y eso te llevó a usar la máscara de una persona solitaria y a creer que no necesitas a nadie. Quizá fue una traición la que te llevó a disfrazarte con la máscara de una persona dominante y controladora, para así ocultar tu fragilidad.

Incluso, cuando no sanamos y no nos perdonamos por los errores y las huellas del pasado, terminamos mitigando la culpa con máscaras de falsa humildad, y dejamos que los demás abusen de nosotros. Sin duda alguna, todos en algún momento hemos intentado ocultar algo de nuestra vida. Pero es importante que sepas algo: las máscaras en algún momento se caen.

La Biblia relata una historia que todos conocemos: la de Adán y Eva. Allí vemos cómo ambos fueron creados por Dios como seres inocentes. Ellos andaban desnudos en el huerto, sin tener consciencia del bien y el mal porque no conocían pecado. Pero para mantenerse en esa condición de pureza e inocencia debían ser obedientes al Creador, quien les había dado la capacidad de decidir por sí mismos; pero ellos decidieron desobedecer.

Como consecuencia, su conciencia despertó al conocimiento de lo bueno y de lo malo. Cuando se dieron cuenta de su error y al ver que estaban desnudos, sintieron vergüenza, así que lo primero que hicieron fue tomar hojas de un árbol y cubrirse (Génesis 3). De alguna manera buscaron tapar el error que habían cometido y «tapar su vergüenza». Fueron los primeros en la historia de la humanidad que usaron máscaras.

Pero estas máscaras no son eternas, sino que en algún momento se caen. En esta historia podemos leer cómo Dios se dio cuenta de lo que ellos habían hecho para cubrirse y que eso no les serviría por mucho tiempo. Entonces, Él mismo los cubrió, convirtiéndose en el primer «sastre del universo». Los vistió con unas túnicas de pieles, los cubrió de verdad.

Sí, tal cual como lo lees, nuestro Dios les proveyó de una piel para cubrirlos, porque las hojas que se habían puesto no durarían mucho tiempo tapándolos, así como las máscaras que usamos pueden caerse en cualquier momento.

Tú sabes qué tipo de máscaras usas, el porqué y el para qué lo haces. Pero la verdad es que todo lo que hagamos por nuestros propios medios para cubrir de forma superficial nuestra culpa no será suficiente, porque necesitamos sanar de verdad nuestras heridas.

Cuando Dios vio que Adán y Eva necesitaban cubrirse, les hizo túnicas de pieles. Él también conoce lo que nos apena, nuestras heridas, nuestro dolor. Por eso entregó a su Hijo como sacrificio vivo para sanarnos y perdonarnos. Él ya cubrió nuestra vergüenza, nos hizo un vestido de justicia ante el Padre, perdonó nuestros pecados y sanó las heridas del alma.

Él te conoce y no te señala, sino que te está esperando para cubrirte, levantarte y decirte, como lo hizo con aquella mujer adúltera que llevaron ante Jesús para ser juzgada: «¿Dónde estaban los que te acusaban? [...] Ni yo te condeno...» (Juan 8: 10 y 11). Descúbrete y no te ocultes más. Preséntate ante Dios porque Él quiere ayudarte.

ACCIÓN TRANSFORMADORA

Nro. 12: Preséntate ante Dios tal y como
eres. Deja que Él sane tus heridas.

REFLEXIONA Y ACTÚA:

¿Qué tipo de máscaras usas?

_____
_____
_____
_____

¿Qué quieres cubrir de tu vida? ¿qué ocultas?

_____
_____
_____
_____

¿Qué es aquello que aún no te has perdonado? Pídele a Dios que
te sane y te cubra.Él hará el traje a tu medida.

_____
_____
_____
_____

Devocional 13
Rompe

Justo en el momento en el que ella pensó que era su final, la oruga sufrió un cambio, se convirtió en mariposa y voló. Este es uno de los milagros más asombrosos de la naturaleza.

Cuando una oruga alcanza el tamaño necesario empieza a fabricar una crisálida, en la cual se introduce para iniciar su proceso de transformación. Ya dentro de ese capullo, ella siente que está en su propia tumba. Sus nervios, sus músculos y cada uno de sus tejidos se van disolviendo, como si muriera lentamente.

Después de un tiempo, la mariposa comienza a romper la crisálida con la cabeza hasta salir y una vez afuera tarda de dos a cuatro horas para poder volar. Durante esas horas, ella empieza a bombear fluidos por todo su cuerpo, que permanece comprimido por la forma del capullo, hasta que este se endurece y ella abre sus alas y emprende el vuelo.

La oruga se transformó en mariposa, pero para que esto ocurriera tuvo que morir a sí misma, desprenderse de su propia vida y someterse a un proceso en el que todo su cuerpo se disolvió en el capullo para obtener una nueva forma y poder volar. Este proceso incluyó dos acciones claves: morir y romper.

Lo mismo sucede en nuestra vida. Si queremos ser transformados, primero debemos morir a nosotros mismos. De hecho, el mismo Jesús lo dijo: «Para que el grano de trigo dé fruto en abundancia, es necesario que caiga a tierra y muera» (Juan 12:24). Este es un principio clave para crecer, florecer y dar fruto.

En segundo lugar, debemos romper aquello que nos tiene atrapados. Dios quiere darnos lo mejor y quiere que crezcamos. El apóstol Pablo dice que «Cosas que ojo no vio, ni oído oyó, ni han subido a corazón de hombre, son las que Dios tiene preparadas para aquellos que le aman» (1 Corintios 2:9).

Hay muchas verdades espirituales que debemos entender pero que solo son reveladas y manifestadas por el Espíritu de Dios como dice 1 Corintios 2:10. El Espíritu Santo quiere ayudarnos para que podamos comprender esos principios espirituales que Dios preparó para nosotros. Sin embargo, solo podemos conocerlos y comprenderlos si somos transformados. Es por esto que necesitamos cambios en nuestra vida, pero estos requieren que hagamos un rompimiento.

¿Recuerdas la historia de la oruga? Ella tuvo que morir para crear una nueva naturaleza y después romper el capullo. Esta segunda acción implica quitar de nuestra vida todo aquello que nos estorba, que nos impide avanzar y crecer en nuestra relación con Dios.

Si queremos recibir lo mejor de Dios, en definitiva, debemos ser transformados. La oruga antes de convertirse en mariposa no podía ver la belleza total del paisaje, porque solo lo veía desde la limitada perspectiva que tenía al arrastrarse. Pero su perspectiva cambió después de volar y poder contemplar más allá de lo que veía cuando estaba en el suelo. Es por eso que debemos ser transformados.

El apóstol Pablo dijo al respecto de esto: «En cuanto a nuestra pasada manera de vivir, debemos despojarnos del viejo hombre» (Efesios 4:22). Es decir, que debemos desprendernos de esa vieja naturaleza. Y si te preguntas qué significa la expresión «vieja naturaleza», esta se refiere a la manera en la que vivíamos antes, con el corazón contaminado, siendo gobernados por la amargura, el dolor, la venganza, la ira y la envidia.

¡Rompe hoy con todo aquello que te tiene limitado, estancado! Deja atrás todo aquello que te hace daño y que no te deja ser transformado, para que puedas volar y contemplar lo que Dios tiene preparado para ti.

Permite que Dios disuelva en ti aquellas actitudes en tu vida que necesitas romper para ser transformado. ¿Qué aspecto de tu vida requiere un cambio?, ¿tal vez puede ser tu carácter, tu forma de ser, tu manera de hablar, de pensar, de vivir, de relacionarte con los demás? ¿Qué es aquello que te impide transformar tu vida? Identifícalo y rómpelo para que puedas avanzar.

ACCIÓN TRANSFORMADORA

Nro. 13: Rompe lo que te limita para ser transformado.

REFLEXIONA Y ACTÚA:

¿Qué aspecto de tu vida requiere ser transformado?

_____
_____
_____
_____

¿Por qué actúas así?

_____
_____
_____
_____

¿Cómo afecta esto a tu vida?

_____
_____
_____
_____

¿Qué consecuencias ha traído para ti o para tu familia?

_____
_____
_____
_____

Toma una decisión, empieza por una acción pequeña. No hagas grandes promesas que no podrás cumplir. Piensa en pequeños cambios y entrégale tu vida a Dios. ¿Qué decides romper hoy en tu vida? ¿Por dónde quieres empezar?

_____

_____

_____

_____

Devocional 14
Regala

Cuando hablamos de regalar, muchas veces pensamos en los beneficios, pero no en el sacrificio y esfuerzo que implica. Hay una historia muy simpática que habla al respecto: «Se cuenta que un cerdo y una gallina andaban juntos por las calles de cierta ciudad, cuando de pronto les llamó la atención un letrero que decía: "Desayunen huevos fritos con jamón". Al letrero le acompañaba una nota así: "Lo que usted pague por el desayuno será destinado a una obra benéfica". Vaya, vaya, dijo la gallina a su compañero, así que también nosotros tenemos que ver con la campaña benéfica. Y el cerdo le respondió: Sí, pero con la diferencia que a ti solo te piden una contribución, en cambio para mí significa el sacrificio» (Vila, 2014).

Si hablamos de sacrificios debemos recordar que también Jesús se sacrificó por nosotros. Él se entregó por completo para que tú y yo obtuviéramos la vida eterna. Y no solo eso, imagínate este escenario: Dios se despojó de su único hijo, renunció a lo más preciado por amor a nosotros.

Jesús fue el regalo más valioso que el Padre nos envió. Ahora te pregunto: ¿cuál es tu regalo para Dios? En el libro de Proverbios podemos leer sobre lo que Él espera de nosotros: «Dame, hijo mío, tu corazón y que tus ojos miren mis caminos» (Proverbios 23:26). Eso es lo que Él espera: tu corazón.

En este sentido es importante aclarar que cuando la Biblia habla del corazón no se refiere al órgano físico que se encuentra dentro de la cavidad torácica en nuestro cuerpo. El corazón representa el lugar donde atesoramos nuestra voluntad, donde fluye nuestra actitud, emociones, sentimientos y tus intenciones.

En otras palabras, la interpretación bíblica describe al corazón como la fuente de donde salen los pensamientos, las acciones y las palabras, es decir, la vida misma. Por eso nos advierte: «Sobre toda cosa guardada, guarda tu corazón; porque de él mana la vida» (Proverbios 4:23). El corazón es el centro del ser humano, donde reposan las pasiones.

En los devocionales anteriores hablábamos sobre ser transformados a través de Jesús, el regalo más importante que Dios nos ha dado. Así que, si ya dejaste que Él entrara a tu vida, regálale tu corazón. Si está roto, no te preocupes, así Dios lo recibe. Si está herido ¡entrégaselo! Porque Él quiere sanarlo. Él tiene el poder de cambiar, consolar y cuidarlo.

Dios quiere ser el dueño de tu corazón, y lo mejor de todo esto es que Él puede protegerlo de todo aquello que quiera destruirlo. Además, Él desea tener una relación estrecha y personal contigo, a través de la cual pueda transformar tu vida para que cumplas con el propósito para el cual fuiste creado.

Pero debes hacerlo de forma genuina, porque cuando no es así, nos volvemos solo personas religiosas que siguen rituales, que cargamos la Biblia, asistimos a una iglesia, pero nuestro estilo de vida sigue siendo el mismo que llevábamos antes de buscar y encontrarnos con Jesús.

Cuando le entregas tu corazón a Dios y le permites intervenir, Él te devuelve uno íntegro y pone en ti un espíritu renovado (Ezequiel 11:19) para que puedas iniciar, no solo un crecimiento espiritual, sino personal en el que desarrolles herramientas de vida. Esto marca un nuevo comienzo, un tiempo en el que Él entrará, examinará tu vida y empezará a transformar tus pensamientos, tus palabras, tu manera de interpretar las situaciones y te enseñará una nueva forma de relacionarte con los demás. Esta transformación impactará a otros y te convertirá en un testigo de su poder. Así que no lo pienses más ¡regálale tu corazón a Dios!

ACCIÓN TRANSFORMADORA

Nro. 14: Entrega tu corazón a Jesús y permite que transforme tu vida.

REFLEXIONA Y ACTÚA:

¿Cuál es el regalo que Dios te ha dado?

_____

_____

_____

_____

¿Cuál es el regalo que Dios espera de ti y por qué?

_____

_____

_____

_____

¿Cuál es el resultado que tienes en tu vida cuando entregas tu corazón a Dios de manera genuina?

_____

_____

_____

_____

CRECIMIENTO PERSONAL

Hasta este momento de la lectura de este libro, ya te has acercado a Dios y has aprendido que el crecimiento espiritual se fortalece cuando hablas con Él a través de la oración, escuchas su voz a través de la lectura de la Biblia y le entregas de manera genuina tu corazón. Y en esa relación espiritual encontrarás paz, perdón, sanidad y restauración. En definitiva, Él es todo lo que necesitas para iniciar y avanzar un proceso de transformación personal ¡así que cobra ánimo y continúa!

Devocional 15

Perdona

¿Tienes enemigos?, ¿te gustaría acabar con ellos?, ¿quieres saber cómo? Te lo diré a través del siguiente relato. Cuenta una historia antigua que en una oportunidad le avisaron a un emperador chino que en una de las provincias de su imperio había una insurrección. Ante la noticia, se levantó y dijo a los ministros de su gobierno y a los jefes militares: «¡Vamos!, ¡síganme!, porque voy a destruir a mis enemigos». Cuando el emperador y sus tropas llegaron al lugar donde estaban los rebeldes, él los trató con amabilidad a todos y ellos se sometieron a él de nuevo por gratitud.

Como todo su séquito estaba listo para escuchar la orden del emperador y ejecutar de inmediato a todos los que se habían sublevado contra él, quedaron sorprendidos en gran manera con la reacción del monarca. Él trataba con cariño a los que se rebelaron en su contra. Entonces el primer ministro le preguntó con enojo: «Su Excelencia, ¿de esta manera cumple usted su promesa? Usted nos dijo que iba a destruir a los enemigos, pero en lugar de eso, los ha perdonado a todos y además los trata con amor». Entonces el emperador, con una actitud generosa, le dijo: «Claro, les prometí destruir a mis enemigos. Y como pueden ver todos ustedes, ya nadie es enemigo mío, sino que todos se han hecho mis amigos». (Lerín, 1966. Paráfrasis del autor).

A través de esta historia podemos ver cuál es el secreto, el arma infalible para acabar con nuestros enemigos: perdonar. Sin duda, el perdón trae muchos beneficios para nuestra vida, gracias a que este contribuye con nuestro bienestar físico, espiritual y emocional.

El perdón trae libertad. Este es el beneficio principal, porque cuando vivimos con amargura y resentimiento es como si camináramos por la vida con grilletes y cadenas pesadas atadas a nuestro cuello, manos y pies. Esto hace tanto daño que no nos deja avanzar. La ira, el rencor y los deseos de venganza son destructores de sueños y distractores del propósito que Dios ha puesto en nuestro corazón, debido a que consume nuestra energía y hace que nos dediquemos a ese sentimiento. Entonces dejamos de hacer lo necesario para que nos vaya bien, por estar enfocados en desquitarnos con alguien o simplemente permanecer consumidos en el dolor.

Ahora, permíteme hacerte esta pregunta: ¿cuánto tiempo llevas con esa pesada carga? Reflexiona en el tiempo que has dejado de pensar en ti, en lo que Dios tiene para darte, en los sueños que Él depositó en ti y en prepararte para aprender cómo alcanzarlos, solo porque tu mente está concentrada en el dolor y en la ira que has guardado por años.

A veces sucede que le entregamos a Dios nuestras peticiones en oración, pero no llega la respuesta. ¿Te ha pasado? Pero ¿sabes algo? Él ve tus verdaderas necesidades, y tal vez hay algo en tu vida que está carcomiendo tu corazón y eso es lo primero que Él quiere hacer en ti. Sí, Dios derramará sus bendiciones sobre ti, pero Él está esperando que sueltes las cadenas que te atan y perdones.

Así como el odio enferma, el perdón tiene la capacidad de sanar. De hecho, la Biblia dice que «el corazón alegre es buena medicina. Mas el espíritu amargo seca los huesos» (Proverbios 17:22). Es decir, si guardamos odio y resentimiento en nuestro ser, nos vamos a enfermar. Pero si estamos sanos, seremos libres y gozaremos de buena medicina.

Estas apenas son solo dos razones por las cuales debemos perdonar y ambas son para nuestro propio beneficio. Si las puertas de nuestro corazón están selladas con amarguras, resentimientos, odio, ¿entonces cómo podrá entrar aquello que Dios tiene para nosotros? La Biblia dice que debemos «desatar las ligaduras de impiedad, soltar las cargas de opresión, dejar ir libres a los quebrantados y romper todo yugo» (Isaías 58:6).

En otro libro de la Biblia Jesús dijo que nos pusiéramos de acuerdo con nuestro adversario (Mateo 5:25) y quizá te asombre y te preguntes: «¿En serio debo ponerme de acuerdo con mi enemigo?». La respuesta es sí, así es. Esa es la única manera de desatar tanto las cadenas de la otra persona, como las nuestras. Cuando perdonas, te liberas del peso que has cargado por tanto tiempo y eres finalmente sano.

ACCIÓN TRANSFORMADORA

Nro. 15: Perdona a quien te ha hecho daño.

REFLEXIONA Y ACTÚA:

¿Hay algo que aún no hayas perdonado?

_____

_____

_____

_____

¿Qué consecuencias ha traído a tu vida la falta de perdón?

_____

_____

_____

_____

¿Cómo te sientes cuando enfrentas a esa
persona o recuerdas esta situación?

_____

_____

_____

_____

¿Quieres acabar con tus enemigos y con el peso que esto trae
a tu vida? Entonces escribe a quien decides perdonar hoy, para
ser libre y sano.

_____

_____

_____

_____

Devocional 16
Deja atrás tu pasado

Quiero hacerte una pregunta: ¿en algún momento has tenido el deseo de borrar tu pasado? En ocasiones anhelamos deshacernos de ciertos momentos de nuestra vida que hubiésemos preferido que nunca hubieran ocurrido porque nos causaron dolor, pero no sucede. Ahora el resultado es inevitable y esas imágenes mentales siguen allí acompañando nuestra historia.

Sin embargo, hay algo que sí puedes hacer, y es evitar que ese pasado afecte tu presente y futuro. Todos, absolutamente todos, tenemos historias y momentos que no son tan agradables. Incluso, muchos de los hombres y mujeres que Dios ha usado en las grandes hazañas que podemos leer en la Biblia cometieron muchísimos errores antes de ser calificados como personas de fe.

Entonces ¿qué ocurrió con aquellos hombres y mujeres para ser llamados por Dios, a pesar de sus errores? Tomemos un tiempo para conversar un poco sobre algunos de ellos.

El primero del que vamos a hablar es David, muy conocido por ser un «hombre conforme al corazón de Dios» y el mejor rey del pueblo de Dios. En una ocasión, él cayó en una situación de adulterio con la esposa de uno de sus mejores soldados. Cuando se dio cuenta de que aquella mujer había quedado embarazada, trató de tapar su error asesinando al esposo de ella. Sin embargo, luego se arrepintió de forma genuina y asumió las consecuencias de sus acciones.

En segundo lugar, tenemos el caso de Moisés, el gran líder del pueblo de Dios. Este hombre, cuando aún era parte de la familia del Faraón, se dejó llevar por la ira y mató a un egipcio, razón por la que tuvo que huir al desierto.

También tenemos al apóstol Pedro, quien fue discípulo de Jesús y que justo en el momento en que apresaron a su Maestro empezó a maldecir para que los demás no lo reconocieran como su seguidor; y sí, eso lo hizo después de caminar y compartir tres años con Él.

Por último, quisiera presentarte a Rahab. Esta mujer era una de las prostitutas de la ciudad de Jericó, la cual ayudó a los espías israelitas a esconderse justo antes de la conquista. Después de que ganaran la batalla, los judíos le permitieron a ella vivir en medio de ellos. Finalmente, esta mujer se casó con Salmón y de su descendencia vino el rey David y el mismo Jesús.

¿Sabes que es muy interesante de estas historias? Que la Biblia nos relata la vida de estos hombres y mujeres sin esconder su pasado. Entonces ¿qué sucedió con estas personas que mencionamos para que tuvieran el privilegio de ser llamados por Dios a pesar de sus errores? La respuesta es que todos ellos dejaron su pasado atrás.

Es cierto que olvidar el pasado es imposible, pero podemos no evocarlo y no traerlo al presente. Y es que el mismo Dios perdonador nos dice que «no nos acordemos de las cosas pasadas» (Isaías 43:18). Esto quiere decir que no necesitamos retenerlas en nuestra mente, rememorarlas, ni mucho menos alimentar el dolor.

Podemos comparar esto con una cicatriz. Cuando algo nos causa una herida física queda una marca visible, ¿cierto? Es inevitable verla y no recordar lo que ocurrió, mucho menos cuando aún nos causa dolor. Sin embargo, sabemos que la herida ya sanó cuando podemos ver nuestra cicatriz, recordar el suceso y no sentir dolor alguno.

Permíteme decirte algo, si has fallado, si te has equivocado, entonces acércate a Dios; arrepiéntete de corazón y pídele que te perdone. De esta manera tu dolor sanará y podrás comenzar de nuevo. Deja atrás tu pasado y recibe la misericordia de Dios.

El gran secreto en la historia de restauración en la vida de estos hombres y mujeres fue que ellos decidieron avanzar, en lugar de quedarse contemplando su pasado, como dijo Pablo en Filipenses 3:12.

Es cierto que no podemos borrar el pasado y que este siempre nos acompañará, pero sí tienes el poder de decidir qué hacer con él; puedes convertirlo en una morada y vivir allí, o en un maestro y aprender de él.

Cuando convertimos al pasado en nuestra morada, entonces revivimos el dolor una y otra vez, permitiendo que esas heridas infecten nuestro presente y enfermen nuestro futuro, a tal punto que nos impida disfrutar de una vida plena. Pero si lo hacemos nuestro maestro, tendremos lecciones y aprendizajes profundos que nos revelarán verdades para nosotros mismos y para todo aquel que lo necesite y que aparezca en nuestro camino.

¿Sabes por qué Dios dice que no evoquemos el pasado? Porque Él tiene cosas nuevas para nosotros. Mientras contemplemos el pasado, nuestra visión estará nublada y seremos incapaces de ver los nuevos caminos que están allí cerca de nosotros.

Fíjate en la historia que nos narra el libro del Génesis; aquí nos habla de Agar, la mamá de Ismael (el otro hijo de Abraham). Cuenta el relato que esta mujer estaba en pleno desierto llorando porque estaba muy triste. Su hijo estaba muy débil a punto de morir de sed. Ella se sentó a unos cuantos metros de él para verlo morir y no se había dado cuenta de que había una fuente de agua cercana. Pero Dios abrió sus ojos para que ella pudiera verla (Génesis 21:19). Fíjate que el Señor no hizo aparecer una fuente, sino que siempre estuvo allí, solo hizo falta que su visión se enfocara bien para que ella pudiese verla.

Dios tiene cosas nuevas para reconstruir nuestra historia de vida. Recuerda que Él hace brotar ríos en medio de la tierra estéril. Si te sientes atrapado en tu pasado y crees que has perdido tu valor, recuerda la historia de Rahab. Deja atrás tus errores de ayer y vuelve a empezar, porque Dios te transformará a ti y dará un nuevo destino a tu descendencia.

No os acordéis de las cosas pasadas, ni traigáis a memoria las cosas antiguas.

ACCIÓN TRANSFORMADORA

Nro. 16: Convierte tu pasado en tu mejor maestro.

REFLEXIONA Y ACTÚA:

¿Cuál es tu historia?

_____

_____

_____

_____

¿Qué cosas de tu pasado aún te causan dolor?

_____

_____

_____

_____

¿Qué quieres dejar atrás?

_____

_____

_____

_____

¿Hasta ahora tu pasado ha sido tu morada o tu maestro?

_____

_____

_____

_____

¿Qué te ha enseñado o qué te podría enseñar tu pasado?

_____

_____

_____

_____

¿Qué mensaje quisieras darles a otros a través de tu historia de vida?

_____

_____

_____

_____

Devocional 17
Aprende

En cierta ocasión, el gerente de un reconocido banco internacional fue entrevistado y le preguntaron cuál era el secreto de su éxito. Su respuesta fue: «Tomar buenas decisiones». A lo que el periodista añadió: «Pero ¿cómo se toman buenas decisiones?». Entonces, el ejecutivo bancario contestó: «Pues con la experiencia, amigo; y esta se obtiene tomando decisiones paso a paso, así nos equivoquemos».

Como dijo aquel ejecutivo, la experiencia se obtiene a través de cada intento, así resulte fallido. Que nos hayamos equivocado en el pasado no quiere decir que seamos unos fracasados o que eso sea determinante en nuestra vida. En realidad, los errores son lecciones que debemos aprender.

El líder, escritor y conferencista internacional John Maxwell dijo en uno de sus libros que la experiencia es un maestro muy exigente, que «primero te da el examen y luego te enseña la lección». En este sentido, el verdadero fracaso es no capitalizar nuestras experiencias. Esto no es otra cosa sino analizar lo sucedido y aprender de ello para futuras decisiones.

Ahora bien, podemos aprender de dos maneras: la primera es siendo sabios, haciéndolo tras el espejo de otros. La segunda es convirtiéndonos en los protagonistas, viviendo en carne propia la experiencia. No obstante, en ambos casos se requiere de una autorreflexión constante que consiste en comprender qué sucedió y por qué se generó ese resultado.

Como dijimos en el devocional anterior, la Biblia no oculta la verdad sobre el pasado de ningún personaje. Al contrario, podemos ver cómo nos narra las malas decisiones de David, la negación de Pedro, la tentación de Sansón, entre otros. La palabra de Dios está llena de relatos de personas que fueron grandes líderes, pero que también, como seres humanos, cometieron grandes fallas. Pese a que estos errores los acompañaban, ellos se levantaron.

Así que, si tomaste una mala decisión en algún momento de tu vida, puedes aprender de la experiencia. No te quedes lamentándote por lo que ya pasó, sino que toma la lección que te permita crecer y ayudar a otros y ser ejemplo e inspiración para muchos.

La Biblia dice: «Todo eso sucedió para servirnos de ejemplo, para que no deseemos lo malo, como ellos» (1 Corintios 10:6). Es decir, que sí podemos aprender de las experiencias de otros.

Fíjate en la experiencia del apóstol Pedro. Después de compartir tres años al lado de Jesús, lo negó en el momento en el que estaba siendo maltratado y se encontraba a punto de ir a la cruz. Era un episodio muy doloroso en el que necesitaba contar con sus amigos. Pero su discípulo estaba muy ocupado haciendo todo lo posible para que no lo identificaran como su seguidor.

Jesús ya se lo había advertido horas antes, cuando le dijo: «Pedro, antes que el gallo cante, me habrás negado tres veces» (Mateo 26:34). Y así fue. Cuando Pedro recordó las palabras de su Maestro lloró con amargura y se arrepintió.

Pero fue ese mismo hombre quien luego se convirtió en un apóstol, al que Jesús le entregó una misión muy importante, un nuevo propósito de vida. En menos de dos meses, Pedro era un hombre completamente transformado que le hablaba a las multitudes. Pero ¿cuál fue el secreto de la transformación de este hombre?, ¿cómo pasó de ser el discípulo que lo negó, a uno de los apóstoles más importantes en la historia de la Iglesia?

En primer lugar, tuvo que reconocer su error. En segundo lugar, se arrepintió de manera genuina. Por último, y más determinante, se apartó del mal camino.

La Biblia narra que él salió huyendo del lugar donde estaba, pero fue solo hasta que reconoció su error, se arrepintió y se apartó, que Jesús lo restauró. Como resultado, recibió el perdón y se levantó de nuevo. Por supuesto, Pedro lloró, pero no se quedó allí, sino que tomó una decisión: aprendió de la experiencia y continuó.

Tomemos la misma actitud de Pedro y aprendamos de nuestra experiencia de vida. Reconozcamos nuestros errores, arrepintámonos de manera genuina y apartémonos de ese mal camino. Solo así Dios nos restaurará y nos levantará para que retomemos la senda con un nuevo propósito de vida.

ACCIÓN TRANSFORMADORA

Nro. 17: ¡Aprende! Reconoce tus errores, aprende de ellos y levántate de nuevo.

REFLEXIONA Y ACTÚA:

La Biblia nos relata el pasado de muchos personajes ¿cuál es tu historia? ¡Reconócela!

_____

_____

_____

_____

¿Por qué crees que esto pasó?

_____

_____

_____

_____

¿Qué acciones te llevaron hacia ese camino? ¡Arrepiéntete!

_____

_____

_____

_____

¿Qué estás haciendo hoy?

_____

_____

_____

_____

¿Sigues en esa misma dirección?

_____

_____

_____

_____

¿Estás tomando las mismas decisiones una y otra vez?

_____

_____

_____

_____

¿Qué crees que puedes hacer para darle un giro a tu vida?
¡Apártate!

_____

_____

_____

_____

Devocional 18
No te desesperes

Entre las décadas del 60 y 70 se llevó a cabo un estudio con niños preescolares dirigido por el psicólogo Walter Mischel de la Universidad de Stanford. Este consistía en ofrecerles a los niños un malvavisco, con la condición de que debían esperar hasta que el profesor regresara. Quién lograra hacerlo recibiría otro dulce en recompensa, pero quien no fuese capaz podía tocar en cualquier momento una campanilla para que el profesor llegara y pudieran comer la golosina que estaba en la mesa. El resultado fue que solo el 30 % de ellos eligió esperar.

Después de realizar el experimento se hizo un seguimiento a los niños en años posteriores. Los investigadores recogieron información con los padres, descubriendo que existía una correlación general entre la capacidad de autocontrol observada y los resultados posteriores en distintas áreas de la vida de los participantes. Por ejemplo, aquellos que no lograron esperar tenían bajo rendimiento escolar y algunos presentaban problemas de comportamiento, al contrario del 30 %, quienes fueron identificados como más competentes (Israel Noticias, 2018)[1].

Este estudio nos ayuda a comprender un aspecto del comportamiento humano: lo mucho que se nos dificulta esperar. Siempre queremos obtener el fruto de la recompensa sin atravesar el proceso. Por esa razón, nos atrae todo aquello que nos prometa resultados rápidos y sin sacrificio alguno.

Por lo general, empezamos tratando de entregar nuestras cargas a Dios, pero cuando no vemos resultados inmediatos retomamos nuestra pesada carga. El apóstol Santiago explica

---

1 Historia registrada en el noticiero digital Noticias de Israel, tras la muerte del psicólogo judío Walter Mischel, creador de la «prueba de malvavisco». Entrevista del año 2014.

en su carta que la paciencia tiene un propósito, una meta y es la de hacernos completamente maduros (Santiago 1:4).

En eso consiste el propósito de esperar, en hacernos mejores y enseñarnos a obedecer. Así que cuando tu mente se llene de preguntas y no entiendas por qué debes esperar tanto y sientas que esa ansiada respuesta no llega, recuerda que esperar en Dios tiene un objetivo. Analicemos un poco al respecto.

El primer propósito de esperar es formarnos. Este es un proceso de aprendizaje. Un ejemplo de ello es David, cuando Dios lo escogió como rey. Si revisas el relato bíblico, Él lo ungió, pero pasaron muchos años para que David llegase al trono de Israel, tuvo que esperar pacientemente, aunque ya sabía que sería el rey. Pasó por un tiempo de preparación que lo capacitó para afrontar ese reto. Esperó su momento y cuando estaba preparado, Dios lo promovió.

El segundo propósito de la espera es para revelarnos verdades. En muchas ocasiones nos quejamos y nos impacientamos, cuando de repente sucede algo que nos muestra el error que estábamos a punto de cometer. Entonces decimos: «¡Uf, de la que me salvé!». Con el tiempo nos damos cuenta de que Dios nos estaba librando de una gran angustia.

Quizá en este momento te preguntas: «Señor, ¿qué pasa con mi sueño?», «¿Qué pasa con mi emprendimiento?», «¿Dónde está mi pareja?», «¿Cuándo tendré los hijos que tanto anhelo?», «¿Por qué no llega mi petición?». Si es así, déjame decirte que puedes cambiar estas preguntas por: «Señor ¿qué verdades quieres mostrarme?».

En el libro de Deuteronomio vemos cómo Dios llevó a su pueblo por desiertos, por caminos difíciles, solo para saber qué había en el corazón de ellos (Deuteronomio 8:2). El proceso de espera es importante porque allí el Señor nos revela verdades y tenemos la oportunidad de conocernos a nosotros mismos. Por eso, cuando te sientas desesperado, entrega tus cargas a Dios en oración y rinde ante Él todas tus angustias (Filipenses 4: 6-7).

Esperar vale la pena, así que no te desesperes, solo descansa en Dios. Él te está preparando en medio de la espera para que puedas enfrentar mayores retos, y así descubras tu corazón y el de muchas personas que hay a tu alrededor, quienes se empiezan a transformar y a sensibilizar para ser de bendición en tu vida.

ACCIÓN TRANSFORMADORA

Nro. 18: Dale un propósito al tiempo de espera: aprende y prepárate.

REFLEXIONA Y ACTÚA:

¿Qué te causa desesperación?

_____
_____
_____
_____

¿Qué dudas llegan a tu mente?

_____
_____
_____
_____

Durante este tiempo de espera, ¿qué verdades has aprendido?

_____
_____
_____
_____

Mientras esperas por aquello que tanto anhelas, ¿te estás preparando?

_____
_____
_____
_____

Es mejor que estés listo para cuando llegue esa oportunidad.

Prepárate para lo que deseas. ¿En qué áreas de tu vida necesitas formarte para estar listo? ¿Cómo lo harás?

_____

_____

_____

_____

Devocional 19
Cuida

■ Sabías que el sitio más custodiado del mundo está en
¿ Noruega? Así es, se trata del Banco Mundial de Semillas
y existe para proteger la diversidad vegetal como fuente
de alimento en caso de una catástrofe. Este lugar tiene en
su interior la capacidad de almacenar millones de muestras
de semillas de todas las plantas que existen en el mundo.
También se le conoce como la «Bóveda del fin del mundo» y fue
construida en el año 2008 a 120 metros dentro de una montaña
de arenisca en la isla de Spitzberg, ubicada en el archipiélago
ártico de Svalbard, a 1 300 kilómetros del Polo Norte. Es una
edificación impermeable y segura ante actividades volcánicas,
terremotos e incluso radiación (BBC News, 2016).

Sin duda, este es el sitio más seguro del universo y se
construyó para cuidar uno de los recursos más valioso del
planeta: las semillas. Ahora te pregunto, si tuvieras una
bóveda como esa ¿qué guardarías allí?, ¿qué sería lo más
valioso que cuidarías?

La Biblia dice que por encima de cualquier cosa que
cuidemos, debemos proteger nuestro corazón porque de él
brota la vida (Proverbios 4:23). Fíjate que las naciones del
mundo buscaron a toda costa cuidar las semillas para proteger
la supervivencia humana. Por eso se aseguraron de construir
una instalación que fuera lo suficientemente fuerte y segura.

Ahora te pregunto, ¿cómo estás cuidando tu corazón?
Tomemos el ejemplo de la bóveda de la que hemos
estado hablando. Para construirla, primero analizaron
las condiciones del lugar. Los científicos escogieron esta
isla porque no está en una zona de actividad tectónica y
se encuentra a 130 metros sobre el nivel del mar, lo cual
garantiza que el sitio permanecerá seco (y, por ende, las
semillas). Los expertos querían asegurarse de que las

condiciones fueran óptimas para la conservación y para que ningún factor externo lograra dañar el tesoro que resguarda por cientos, incluso miles de años.

Y tú, ¿has verificado cuáles factores externos podrían destruir tu corazón? La seguridad en esta bóveda llega a tal punto que solo pueden ingresar investigadores o personas autorizadas. En cuanto a ti, ¿estás controlando lo que dejas entrar en tu corazón? Recuerda que nuestro ser interior se alimenta a través de los sentidos, así que reflexiona en esto: ¿cómo te proteges para guardar tu corazón?

Precisamente, esto fue lo que sucedió en el huerto del Edén con Eva. Rememoremos un poco esta conocida historia. En el primer libro de la Biblia leemos que la serpiente entabló una conversación muy tentadora con Eva. Lo primero que hizo fue despertar su curiosidad diciéndole: «Oye, ¿con que Dios les ha dicho que no coman de todo árbol del huerto?». Pero la mujer respondió: «De todos los árboles podemos comer, pero del fruto del árbol que está en medio del huerto dijo Dios que no comamos, que no le toquemos, porque si no moriríamos».

El problema fue que Eva respondió. Es importante que sepas algo: si el enemigo nos habla —y puede hacerlo de múltiples maneras— y nosotros le respondemos, él puede manipular nuestros sentidos para confundirnos, tal como lo que hizo con Eva. El error de la primera mujer fue seguir escuchando e interactuar con la serpiente, quien la persuadió de manera muy astuta: «No van a morir. Lo que pasa es que Dios sabe que el día que ustedes coman de él, sus ojos van a ser abiertos y van a ser como Él, sabiendo el bien y el mal».

Cuando Eva escuchó esas palabras, su perspectiva cambió y entonces «vio que el árbol era bueno y que era agradable a los ojos». Ella había observado ese árbol muchas veces, pero esta vez le pareció muy tentador para comer y sobre todo para alcanzar sabiduría. A estas alturas de la conversación, el enemigo tenía el control de sus sentidos y la sedujo.

Aunque Eva no había tomado el fruto, le pareció apetecible. Así que una vez que esa imagen llegó a su mente, lo único que faltaba era la acción. Tú y yo conocemos el final de esta historia: ella tomó de su fruto y lo compartió con su marido Adán (Génesis 3), y desde ese momento el corazón del hombre fue contaminado por la desobediencia.

Tengamos mucho cuidado con las conversaciones en las que participamos, el contenido que escuchamos, con quién hablamos; cuidemos nuestros oídos, porque esa información se guardará en nuestra mente y nuestro corazón. Por eso Pablo dice que nos protejamos, porque «así como la serpiente con astucia engañó a Eva, también nuestros sentidos puedan ser de alguna manera extraviados de la sincera fidelidad a Cristo» (2 Corintios 11:3).

Esto quiere decir que debemos cuidar la información que entra a través de nuestros sentidos, para así proteger nuestro corazón «porque de él provienen los malos pensamientos» (Mateo 15:19). Un alma contaminada cultiva en la mente homicidios, adulterios, fornicaciones, robos, falsos testimonios y calumnias. Así que ¡cuida tu corazón!

ACCIÓN TRANSFORMADORA

Nro. 19: Cuida la información que entra
a través de tus sentidos.

REFLEXIONA Y ACTÚA:

¿Cómo estás cuidando tu mente y tu corazón?

_____
_____
_____
_____

¿Qué contenido lees?

_____
_____
_____
_____

¿Qué escuchas?

_____
_____
_____
_____

¿En qué tipo de conversaciones participas?

_____
_____
_____
_____

¿Con quién te relacionas?

_____

_____

_____

_____

¿Qué decisiones tomas hoy para cuidar tu mente y corazón?

_____

_____

_____

_____

Devocional 20
Libérate

El escritor argentino Jorge Bucay cuenta que cuando era pequeño le encantaban los circos y lo que más le gustaba eran los animales, especialmente los elefantes. Él veía que durante la función el enorme animal hacía un despliegue de su peso, fuerza y tamaño. Sin embargo, después de su actuación, el elefante quedaba sujeto a una simple cadena que aprisionaba una de sus patas a una pequeña estaca clavada en el suelo.

Bucay dice que la estaca apenas era un pedazo de madera muy pequeño enterrado a unos centímetros de la tierra, y aunque la cadena era gruesa y pesada, obviamente el elefante tenía la capacidad de arrancar con un solo tirón la pequeña estaca, pero no lo hacía. Esto le causó curiosidad y empezó a preguntarse por qué razón no se liberaba, siendo un animal tan grande. Después de muchos años descubrió la respuesta: el elefante del circo no escapaba porque había estado atado a una estaca muy parecida desde pequeño (Bucay, 2015).

Me imagino al elefantito empujando, tirando y esforzándose para tratar de soltarse, pero sin lograrlo, porque en ese momento él era pequeño y no tenía la fuerza necesaria. Posiblemente terminó agotado y aceptó que era impotente ante semejante estaca, así que se resignó a su destino; jamás intentó poner a prueba su fuerza de nuevo y creció pensando que era incapaz de liberarse.

En algún momento de nuestra vida, todos nos parecemos al elefante del circo. Vamos caminando atados a muchas estacas que nos hacen creer que somos incapaces de avanzar, esto hace que nos perdamos de las bendiciones que Dios tiene preparadas para nosotros. Tomemos un tiempo para analizar las tres estacas más comunes que nos atan y cómo podemos liberarnos de ellas.

La primera estaca es el odio, el cual nos ata al deseo de venganza. El apóstol Pablo escribió que debemos quitar de nuestra vida toda amargura, gritería, ira, malas palabras y toda malicia, y en lugar de ello, debemos ser amables los unos con otros, perdonándonos, tal como Cristo lo hizo (Efesios 4:31-32). Este sentimiento tiene el potencial de enceguecernos, haciendo que tomemos todo lo que otros hacen o dicen como un ataque personal, del cual debemos estar listos para defendernos. Sin embargo, la mejor manera de liberarnos de esto es a través del perdón.

La segunda estaca es el orgullo. Este es la causa principal de que no recibamos sanidad interior. En consecuencia, no tenemos paz en nuestra alma, mente y espíritu. Es por eso que David le dijo al Señor: «Dios, cuídame de la soberbia y no dejes que ella se enseñoree de mí» (Salmo 19:13). Esta estaca es muy peligrosa, porque nos engaña haciéndonos creer que todo está bien, que estamos en el lugar correcto y vamos por el mejor camino. La manera en la que podemos liberarnos de esto es a través de la humildad y sencillez de corazón.

Por último, la tercera estaca es la actitud de juez, es decir, cuando queremos encontrar culpables y señalarlos, sin reconocer nuestros errores. Esta conducta nos ata a tal punto que no mejoramos, sino que miramos todo el tiempo hacia afuera; no examinamos nuestro interior y no asumimos nuestra responsabilidad. Entonces, nos enojamos contra otros, tal como sucedió en el Edén. Recordemos que cuando Dios le preguntó a Adán: «Oye, Adán, y ¿qué hiciste?». Él le respondió: «Señor, yo no sé, la mujer que me diste por compañera». Es decir, el hombre estaba responsabilizando a Dios y no asumió su culpa; para él todos eran los causantes de su equivocación: la mujer e incluso el Creador por habérsela dado como compañera. Lo mismo sucedió con Eva; cuando el Señor le preguntó al respecto ella le respondió: «Yo no sé, la serpiente me engañó». Como dice Proverbios 19:3, la insensatez hace que el hombre se pierda del camino y luego se enoje contra Dios.

El odio, el orgullo y la actitud de juez nos atan desde muy pequeños, ya sea por momentos que nos marcaron, como sucedió con el elefante; quizá fue porque éramos pequeños e indefensos y no sabíamos cómo romper esa estaca. Pero ¿sabes algo?, ya somos más fuertes en Dios y tenemos el poder para quebrantar las cadenas que nos atan y así poder vivir en libertad. Sí, puede que hasta ahora te hayas dejado engañar creyendo que debes vivir así, pero ¡Dios tiene una nueva vida para ti! Entrégale tus ataduras y libérate para que puedas conquistar nuevos propósitos.

ACCIÓN TRANSFORMADORA

Nro. 20: Identifica tu atadura y libérate de ella.

REFLEXIONA Y ACTÚA:

¿Cuál es la estaca que te ata y no te deja avanzar?

_____

_____

_____

_____

¿Has tratado de liberarte? ¿Cómo?

_____

_____

_____

_____

Entrégale a Dios tu atadura, no importa cuántos años lleves con ella ni lo incapaz que te sientas; eres fuerte en Dios, así que ¿qué decisión tomas hoy para liberarte?

_____

_____

_____

_____

Devocional 21
Acéptate

Había una vez un viejo campesino que cada día recorría kilómetros para ir a recoger agua de la fuente más cercana. El hombre caminaba cada día portando en sus hombros un palo largo con una vasija en cada extremo. Estas, al igual que él, no eran inmunes al paso de los años y también se habían envejecido y deteriorado con el transcurrir del tiempo. Una de ellas era la que estaba en peores condiciones por causa de los continuos viajes y hacía tiempo se encontraba agrietada; esto hacía que en cada viaje se perdiera muchísima agua.

Cierto día, la vasija agrietada le dijo al hombre: «No sé si te has dado cuenta; pero tengo muchas grietas y ya no te sirvo de mucho. Cada día pierdo más de la mitad del agua por el camino. Creo que lo mejor para ti sería que me abandonaras y me cambiaras por otra vasija que hiciera la labor que tú mereces». Entonces el campesino se detuvo, con delicadeza colocó las vasijas en el suelo y luego se dirigió hacia la agrietada, diciéndole: «¿Has mirado detalladamente el camino? Cada día, desde que te empezaste agrietar, se derrama agua por toda la vía. Por eso, decidí empezar a plantar unas semillas que han crecido y se han convertido en plantas llenas de diversos colores que me alegran el recorrido. Además, muchas de ellas dan ricos frutos que no solo disfruto yo, sino muchas familias que los llevan como alimento hacia sus casas».

La vasija agrietada no podía creer aquello que escuchaba y antes de pronunciar alguna palabra, el campesino concluyó: «Y todo esto, gracias al agua que tú misma has ido derramando. Así que, mi vieja amiga, debes estar orgullosa de lo que eres. Tus grietas han dado vida, porque a través de ella derramas el agua que otros necesitan para seguir» (Pérez, 2019).

Esta historia nos recuerda que las imperfecciones no son una razón para sentirnos menos valiosos, aunque en la sociedad en la que vivimos, se nos exige ser perfectos y no nos permiten descubrir nuestro verdadero valor.

Me gustaría que respondieras esta pregunta con mucha sinceridad: ¿cuál es la percepción que tienes de ti mismo?, ¿cómo te ves?, ¿te aceptas como eres?, ¿te amas?

Es cierto que Jesús dijo que debíamos amar a nuestro prójimo, pero hizo un énfasis muy importante en ese mandamiento: debemos «amar a nuestro prójimo como a nosotros mismos» (Mateo 19:19). Esto consiste en vernos como Dios nos ve, ¿y sabes cómo Él te ve? Déjame decirte que para sus ojos «somos preciosos, de gran estima y honorables» (Isaías 43:4).

Tal vez en algún momento de tu vida alguien te hizo sentir que no eras tan valioso y eso deterioró tu autoimagen. Pero permíteme compartir contigo un mensaje de Dios: si tu autoestima ha sido lastimada, Él te recibe y te acepta con tus heridas y las «grietas» que tengas, porque Él tiene el poder de hacer brotar agua a través de ellas para que puedas dar vida.

Dios le da valor a tu vida, así que cuando sientas que te embarga la tristeza y que no tienes el amor ni el valor suficiente, recuerda la visión que Dios tiene de ti. No tienes necesidad de agredirte o lastimar tus emociones, dándoles el poder a todas las personas que te han hecho daño.

Olvida el pasado, mírate a través de los ojos de Dios. Somos creación suya, obra de sus manos. Él dice que nos creó para hacer buenas obras (Efesios 2:10). Es decir, no te hizo para ser inferior, sino que te dotó de belleza, talentos y te ha dado valor, porque fuimos hechos a su imagen y semejanza. Además, somos templo del Espíritu Santo, debido a que Él mora en nosotros (Génesis 1:27 y 1 Corintios 3:16).

Dios nos ha dotado de habilidades únicas para cumplir el propósito por el cual nos trajo a la vida. Y sí, es cierto que tenemos debilidades, pero ¿sabes qué dice la Biblia al respecto? Nos promete que el poder de Dios se «perfecciona en nuestra debilidad» (2 Corintios 12:9).

Por si no lo sabías, el gran compositor alemán Beethoven creó sus mejores piezas musicales después de quedarse sordo. De igual forma, Moisés, el líder que guió al pueblo de Dios, era tartamudo, y Gedeón, un importante guerrero de Israel, antes de ser llamado por el Señor era un cobarde y un miedoso. No obstante, Dios los usó en medio de sus debilidades porque ellos creyeron en el valor que Él les había otorgado.

Quizá para los hombres, ellos no eran lo suficientemente aptos para la misión encomendada, pero decidieron aceptarse como eran, entregarse a Dios, aferrarse a sus promesas y se hicieron fuertes en Él. Así que acéptate para que veas su poder perfeccionarse en tu debilidad.

ACCIÓN TRANSFORMADORA

Nro. 21: Acéptate, valórate y quita todo lenguaje destructivo hacia ti mismo.

REFLEXIONA Y ACTÚA:

¿Han lastimado tu imagen?

_____
_____
_____
_____

¿Qué imagen han creado en ti?

_____
_____
_____
_____

¿Te aceptas como eres?

_____
_____
_____
_____

¿Cómo te miras a ti mismo?

_____
_____
_____
_____

Moisés era tartamudo y Dios lo veía como el líder de una gran multitud. ¿Cómo eres y cómo crees que te ve Dios? Haz un compromiso para restaurar tu autoimagen y no agredirte con palabras. Cambia tu lenguaje hacia ti.

_____

_____

_____

_____

Devocional 22
Fortalécete

El hombre más sabio de la historia dijo que es mejor ser paciente que poderoso, y que más vale tener control propio que conquistar una ciudad. (Proverbios 16:32). Ahora pensemos por un momento en los grandes conquistadores de la historia.

Podemos mencionar a personales como Alejandro Magno, Julio César, Francisco Pizarro, Hernán Cortés, Atila, entre muchos otros de los conquistadores que han existido. Sabemos que la historia los considera grandes porque doblegaron a sus enemigos y conquistaron reinos.

Pero Dios dice que es más fuerte el que tiene dominio propio que quien conquista una ciudad. ¡Imagínate! El mejor conquistador es aquel que logra tomar el control de sí mismo.

Por ejemplo, en estos últimos tiempos está de moda crear polémicas y hacer comentarios negativos a través de las redes sociales, la crítica se ha convertido en una tendencia y todo es objeto de discusión. Es por eso que solo nos queda fortalecernos en Dios para afrontar la adversidad y no caer en el juego de las ofensas.

Lamentablemente, nos hemos vuelto susceptibles a las ofensas y en ocasiones nos dejamos dominar por el resentimiento, tanto que duramos días alimentando en nuestra mente cada palabra o cada gesto que nos hicieron. Esto despierta la amargura dentro de nosotros. Pero cuando le damos entrada a estos sentimientos perdemos la paz, el gozo, la felicidad y dejamos de disfrutar la vida con plenitud, todo nos parece gris.

Es obvio que si nos agreden nos sentiremos vulnerados porque somos humanos. Pero ¿cuánto tiempo permitiremos que este sentimiento se guarde dentro de nosotros? Mientras más se prolongue el malestar en nuestro corazón nos alejaremos poco a poco de las personas, hasta que, sin darnos cuenta, quedaremos solos y amargados.

Jesús sabía esto, por eso les dijo a sus discípulos que los tropiezos serían inevitables (Lucas 17:1). Estos van a llegar a nuestra vida, enfrentaremos situaciones adversas y nos vamos a encontrar con personas difíciles, ¡vaya que sí! Y aunque Jesús dijo: «Ay de aquél que provoque tropiezos»; también les advirtió a los discípulos que iban a enfrentar situaciones difíciles, como el rechazo. Por eso les dijo que cuando esto ocurriera, lo único que tenían que hacer era «sacudir el polvo de los pies y seguir su camino» (Hechos 13:51). ¡Qué buen consejo! Sacudirse y seguir.

¿Sabes qué era lo que Jesús estaba enseñando a sus discípulos? Se trata del autocontrol, el poder dominarse a sí mismo, como dice el proverbio que mencionamos al inicio. ¿Cómo se logra esto? No permitiendo que nada te robe la tranquilidad y evitando que tu corazón se contamine con rencor. Jesús les estaba enseñando a ser fuertes.

No te ofendas por todo. Recuerda que las personas llevan sus propias cargas y hablan a partir de lo que tienen en su corazón. Jesús también dijo que «el hombre bueno, saca lo bueno del buen tesoro de su corazón. El hombre malo, saca lo malo del mal tesoro de su corazón; porque de la abundancia del corazón habla la boca» (Lucas 6:45). Entonces, piensa que cuando alguien te agrede es porque no tiene nada bueno en su corazón, pero ¿y tú?, ¿qué tienes en el tuyo?, ¿actuarás igual que el ofensor?

Conquístate y toma control de ti mismo, fortalece tu carácter y no permitas que te hagan daño. Ahora bien, es importante aclarar que cuando hablamos de fortalecer el carácter no tiene nada que ver con enojarse o «no dejarse de nadie», como popularmente acostumbramos a decir.

Al contrario, la verdadera fortaleza implica la capacidad de controlarnos, porque cuando nos dejamos llevar por la ira, mostramos debilidad. Entonces, no caigas en la trampa del enojo. En el libro de proverbios dice que el sabio domina su enojo, pero el tonto no controla su violencia (Proverbios 14:29). También dice Dios que la persona inteligente refrena sus palabras (Proverbios 17:27-28). Es decir, que alguien fuerte en su carácter es prudente, sabe en qué momento hablar y de qué manera hacerlo porque tiene el control; además vigila sus impulsos. Por eso te digo que tú puedes conquistar tu carácter.

Todos sentimos impulsos, todos queremos defendernos ante un ataque, y de ser necesario, hablar ante la situación que enfrentas. Pero mejor espera a tener el control de tu propio carácter para asumir el momento con inteligencia, tal como dice el proverbio. Así que fortalécete para que puedas «sacudir el polvo de tus pies y seguir tu camino».

ACCIÓN TRANSFORMADORA

Nro. 22: Fortalece tu carácter y toma control de ti mismo.

REFLEXIONA Y ACTÚA:

¿Te sientes ofendido por algo en particular?

_____
_____
_____
_____

¿Qué te han hecho?

_____
_____
_____
_____

¿Por qué crees que esta persona actuó de esa manera?

_____
_____
_____
_____

¿Cómo reaccionas cuando te sientes ofendido?

_____
_____
_____
_____

¿Eres fuerte o débil de carácter? Recuerda que ante una ofensa el mejor consejo de Jesús fue «sacudirse y seguir».

_____

_____

_____

_____

Devocional 23
Motívate

Quiero contarte la historia de Popi, el alpinista. Él era famoso por sus constantes intentos de escalar la gran montaña nevada. Se dice que lo había intentado por lo mínimo unas treinta veces, sin embargo, había fracasado. Siempre empezaba el ascenso con buen ritmo, imaginando cuán maravillosa sería la vista y fantaseaba con aquel sentimiento de libertad que podría tener al llegar a la meta. Pero mientras iba subiendo, bajaba su mirada, entonces empezaba a mirar sus botas desgastadas, sus piernas cansadas que iban perdiendo la fuerza para continuar. De repente, cuando aparecían las espesas nubes, asumía que ese día tampoco llegaría a la cima y una vez más se daba por vencido. En ese momento se sentaba a tomar un descanso para luego comenzar el descenso, mientras se atormentaba pensando en las críticas que tendría que soportar al regresar.

En muchas ocasiones subió acompañado por el viejo Chisco, el optometrista del pueblo, quien fue testigo de sus constantes intentos y fracasos. De hecho, fue el propio Chisco quien lo animó para que volviera a intentarlo. Pero esta vez le regaló unas gafas oscuras especiales y le dijo: «Si comienza a nublarse ¡ponte estas gafas! Y si los pies te comienzan a doler ¡póntelas!, te van a ayudar».

Popi aceptó el regalo sin darle importancia y empezó a subir de nuevo. Resulta que cuando volvió a sentir el dolor en sus pies, recordó lo que dijo su amigo y se puso las gafas, e hizo lo mismo cuando sintió el intenso dolor en las piernas, y así siguió avanzando.

Las nubes aparecieron, esta vez más espesas, pero Popi tenía las gafas y siguió escalando. Dejó atrás las nubes, olvidó sus dolores y llegó a la cima. La sensación de triunfo era incomparable. Cuando se quitó las gafas, se percató de que las nubes eran demasiado espesas, pero él no recordaba haberlas visto así. Entonces detalló las gafas y lo comprendió todo. Chisco había grabado en los cristales una difusa imagen con la forma de la cumbre de la montaña, la cual solo podía percibirse cuando se subía la mirada. El sabio optometrista había comprendido que el problema de su amigo era que perdía de vista su objetivo; se dejaba llevar del dolor y por la imagen de las nubes espesas y perdía la motivación para seguir subiendo.

Entonces Popi pudo comprender que el único obstáculo para llegar a la cima, más allá de su cansancio y de las espesas nubes, era que él perdía de vista la imagen de la montaña, así pudo darse cuenta de que sus objetivos siempre habían sido posibles y que solo requerían que él mantuviera la motivación en el objetivo (Sacristán, sf. Paráfrasis del autor).

La motivación es el impulso que necesitamos para ponernos en acción; es el fuego y el motor que nos mantiene encendidos. El problema es que a veces dejamos que esa llama se nos apague. En la revista *Semana* (2016) hay una estadística reportada la cual indica que menos del 10 % de las personas cumplen con sus propósitos de inicio de año. En la mayoría de los casos se desaniman y dejan que las críticas y los comentarios negativos los detengan. ¿Te ha pasado?, ¿cuántas veces has permitido que la crítica te paralice?

Me gustaría que analizáramos la vida de alguien que fue duramente criticado pero que siguió adelante con su propósito: Jesús. Cuando leemos los evangelios nos damos cuenta de que Él fue fuertemente criticado por muchos. En múltiples oportunidades lo llamaron endemoniado (Juan 8:48), glotón, borracho y lo acusaron también de andar con personas de mala reputación como los publicanos y pecadores (Mateo 11:19). ¡Sí! Así como lo lees, Jesús tuvo que soportar todos estos comentarios.

Él fue criticado, rechazado, abofeteado, burlado, incluso traicionado por uno de sus discípulos; y aun así continuó con su propósito de vida, porque Jesús tenía muy claro cuál era su misión y esto mantenía viva su motivación.

Estando en su condición de hombre, Jesús vivió angustias. De hecho, la Biblia dice que eso fue lo que experimentó horas antes de su muerte. Ante ese sentimiento, Él buscó el apoyo de sus tres discípulos más cercanos para que lo acompañaran en oración y resulta que ¡se quedaron dormidos! Aquí me gustaría preguntarte: ¿qué hubieras hecho en su lugar? Imagínate, la misma gente que lo proclamó rey, luego gritó ¡crucifíquenlo! Pero Jesús no estaba esperando que llegara alguien a animarlo, y esa es la gran diferencia con muchos de nosotros, que siempre estamos esperando a que alguien nos motive.

Quiero aclarar algo muy importante: la motivación no tiene nada que ver con nuestro estado de ánimo. Como seres humanos vamos a decaer y a sentirnos tristes en algún momento; sin embargo, aun estando así tenemos la capacidad de levantarnos por ese fuego que enciende nuestra vida, esa pasión que nos moviliza a seguir. Esto sucede cuando actuamos basados en nuestro propósito de vida.

No esperes a sentir el deseo para hacer algo, esfuérzate y actúa. ¡Simplemente hazlo!, y no permitas que nada te detenga. Enciende tu motivación a través de cada paso que des y «mantén la mirada firme en la meta» (Filipenses 3:14).

ACCIÓN TRANSFORMADORA

Nro. 23: Mantén tu motivación viva. ¡Levántate y actúa!

REFLEXIONA Y ACTÚA:

¿Cuál es tu propósito de vida?

_____

_____

_____

_____

¿Qué es aquello que te hace sentir feliz y apasionado?

_____

_____

_____

_____

¿Te han criticado al intentar desarrollar una idea?

_____

_____

_____

_____

¿Qué has hecho ante la crítica y los
comentarios negativos?

_____

_____

_____

_____

¿Has seguido adelante o te has rendido?

_____

_____

_____

_____

¿Qué acciones decides hoy emprender
para mantener la motivación ante tu propósito de vida?

_____

_____

_____

_____

Devocional 24
Protégete

Hace algún tiempo publicaron una noticia en Argentina acerca de dos ladrones que se habían robado 25 000 dólares de una vivienda. Los investigadores explicaron que se trató de un clásico robo en el que los delincuentes habían recibido información previa sobre dónde estaba el dinero y cómo entrar a la casa. Resulta que todos los días, una de las puertas de acceso a la casa se dejaba sin llaves para que la empleada doméstica ingresara muy temprano (Telefenoticias, 2019).

Este es solo un ejemplo de algo que muchas veces sucede en nuestra vida: cometemos el error de dejar puertas abiertas y, en consecuencia, somos saqueados.

Hay momentos en los que nuestros sueños, propósitos, metas, sentimientos o pensamientos pueden llegar a ser saqueados; incluso nuestra familia y nuestra economía. Esto sucede cuando dejamos puertas abiertas. Fíjate en esta palabra que impartió Moisés antes de partir de este mundo, y que estaba dirigida hacia la tribu de Aser: «Que hierro y bronce sean tus cerrojos» (Deuteronomio 33:25).

Incluso, Pedro dice en una de sus cartas que debemos tener mucho cuidado y estar siempre atentos, con los ojos muy abiertos, porque hay enemigos que andan al acecho, «como león rugiente buscando a quien devorar» (I Pedro 5:8).

Es muy importante conocer que existen «ladrones de bendiciones» que solo están esperando que nos descuidemos para entrar y robarnos lo que nos pertenece. Pero también es necesario saber que la única manera en la que pueden entrar es si dejamos la puerta abierta. ¿Y qué debemos hacer?: velar por nuestra propia seguridad. Estoy seguro de que todas las noches te tomas la tarea de revisar la seguridad de tu casa,

¿cierto? Entonces, si así aseguras tu vivienda, cuánto más no deberías hacerlo con tu propia vida.

Cuando hablo de seguridad, no me refiero solo a la emocional y espiritual, sino también a la física y económica. ¿Sabías que hay puertas que dejamos abiertas, como la falta de amor propio o de cuidado personal, que pueden robar la salud de tu cuerpo? También existen otras como el desánimo o la falta de fe, que nos arrebatan nuestros sueños, o la angustia que nos quita la tranquilidad. Otra puerta abierta es la que deja entrar a la pereza, ladrona de nuestra prosperidad, o el desorden financiero que se lleva nuestra estabilidad económica. Y ni hablar de todo lo que puede hurtar nuestra estabilidad emocional en el contexto familiar.

Hay muchos ladrones al acecho; estos «enemigos» son esas tentaciones que se presentan en diferentes áreas de nuestra vida que, una vez que las dejamos entrar, estancan nuestro crecimiento.

¡Cierra las puertas! Asegura tu bienestar físico, emocional, espiritual, económico, no solo a nivel personal sino en el contexto familiar. ¡Cuida a los tuyos! Defiéndelos de los enemigos que están al acecho, en especial a tus hijos, que corren peligro en un mundo tan confundido. Identifica cuáles son los ladrones que te acechan, a través de qué puertas pueden entrar y verifica que estas estén cerradas. Si no lo están, entonces ponle hierro y bronce a tu vida. ¡Protégete!

ACCIÓN TRANSFORMADORA

Nro. 24: Identifica cuáles son las amenazas que te rodean y protege tu vida.

REFLEXIONA Y ACTÚA:

¿Cuáles son los «ladrones de bendiciones» que acechan tu vida y la de tu familia?

_____

_____

_____

_____

Piensa en todo lo que puede dañar tu bienestar físico, emocional, espiritual, económico.

¿Qué puertas has dejado abiertas en diferentes áreas de tu vida, tanto a nivel personal como familiar?

_____

_____

_____

_____

Ya conoces tu amenaza, sabes qué tan seguro o inseguro estás. Ahora, ¿qué piensas hacer para protegerte?

_____

_____

_____

_____

Devocional 25

Disfruta

No sé si estás enterado, pero Dios está muy interesado en que disfrutemos cada segundo de nuestra vida. Sin embargo, existen dos enemigos que nos impiden recrearnos de las bendiciones que Él ya ha puesto en nuestras manos. Lee conmigo el siguiente relato.

En cierta ocasión, un rico comerciante contrató a un carpintero para restaurar una antigua casa de su propiedad. Como a él le gustaba tener todo bajo control y siempre se preocupaba por lograr que todo quedara muy bien, decidió pasar un día completo acompañando al carpintero para ver cómo iba el proceso de la obra.

Al final de la jornada, se dio cuenta de que el carpintero había tenido un día de mucho trabajo y un montón de contratiempos. Estaba agotado y molesto, porque había sido una jornada muy difícil y, para completar, cuando iba a regresarse a su casa, se percató de que su auto estaba varado.

«Y ahora ¿cómo llegaré a casa?», se preguntó el trabajador. Afortunadamente, el empresario se ofreció para llevarlo. Durante el trayecto, el carpintero no mencionó una sola palabra. Se veía enojado y muy preocupado por los contratiempos que había tenido a lo largo del día, especialmente porque no sabía cómo podría solucionar muchos de ellos.

Sin embargo, cuando llegaron a la casa, invitó al comerciante a entrar para que conociera a su familia y se quedara a cenar. Justo antes de abrir la puerta, aquel carpintero se detuvo delante de un pequeño árbol y acarició sus ramas durante pocos minutos. Al entrar, aquel hombre se transformó totalmente; parecía un hombre feliz que disfrutaba de la compañía de su familia.

La cena transcurrió entre risas y una conversación muy animada. Cuando terminó la velada, el carpintero acompañó al comerciante a su auto con una sonrisa en sus labios. El empresario no paraba de mirarlo, hasta que le preguntó: «Disculpa, pero ¿qué tiene de especial ese árbol? No entiendo. Antes de entrar estabas muy molesto y preocupado, pero después de tocarlo te convertiste en otro hombre. ¿Qué fue lo que pasó?».

El carpintero miró el árbol y le contestó: «Yo lo llamo "el árbol de los problemas". He entendido que no puedo dejar entrar a casa mis preocupaciones, entonces las dejo allí y al otro día las vuelvo a recoger». (Promonegocios, 2012).

Esta historia llamada *El árbol de los problemas* nos enseña la importancia de soltar las preocupaciones debido a que ellas no nos permiten disfrutar de la vida. El carpintero sabía que su familia representaba una gran bendición y no iba a permitir que las preocupaciones le robaran esos momentos gratos.

Pero nosotros tenemos otras bendiciones que Dios nos ha entregado. Jesús dijo que Él había venido para darnos una vida abundante (Juan 10:10). Sin embargo, las preocupaciones son esos enemigos que nos impiden disfrutar de esa vida. El hombre de la historia entendía eso muy bien, por eso no permitía que las preocupaciones permearan y dañaran su relación familiar.

El apóstol Pedro dijo que echáramos toda nuestra ansiedad sobre Dios, porque Él cuida de nosotros (1 Pedro 5:7). Esto quiere decir que todas nuestras preocupaciones y angustias debemos entregarlas al Señor.

Me llama la atención que aquel hombre soltaba sus preocupaciones para lograr disfrutar con plenitud a su familia, pero al día siguiente las volvía a tomar. Al igual que el carpintero de la historia, ¿cuántas veces le hemos entregado a Dios nuestras preocupaciones por unos días, para luego cometer el error de volver a cargarlas?

Este hombre estaba usando una estrategia temporal, pero no definitiva. Te pregunto, ¿a quién le entregas tus preocupaciones? El carpintero escogió a un árbol que solo las podía sostener por una noche. Pero tú, ¿estás buscando a Dios o te estás refugiando en un «árbol»?

Existen muchos «árboles» en nuestra vida que pueden ser actividades que nos distraen y nos hacen sentir bien por un momento de nuestra pesada carga, pero que, al terminar, le dan paso de nuevo a la angustia.

Aquel hombre soltó la carga. ¡Excelente!, pero la entregó en el lugar equivocado. Entrégale tus preocupaciones a Dios porque Él tiene cuidado de nosotros y solo Él puede darnos la paz que necesitamos para disfrutar de la vida.

Muchas veces no disfrutamos de lo que Dios nos da hoy porque nos quedamos contemplando el ayer, pero el único tiempo que realmente tenemos es el presente, porque el pasado ya se fue y el futuro aún no ha llegado. Entonces, ¿cuándo y cómo vas a disfrutar de tu vida, si vives anclado a los problemas de tu pasado? Entrega tus cargas, recibe la paz de Dios y disfruta de la vida que Él te ha regalado.

ACCIÓN TRANSFORMADORA

Nro. 25: Disfruta con plenitud lo que tienes hoy.

REFLEXIONA Y ACTÚA:

¿Cuáles son tus preocupaciones?

_____

_____

_____

_____

¿Qué haces cuando te sientes angustiado?

_____

_____

_____

_____

¿En qué o en quién te refugias?

_____

_____

_____

_____

¿Qué has perdido a causa de tus preocupaciones? Toma una decisión: entrega, recibe y disfruta lo que Dios te da hoy.

_____

_____

_____

_____

Devocional 26
Valora y agradece

Una vez, en una noche de luna llena, un hombre caminaba por la playa mientras pensaba: «Sería tan feliz si tuviera un carro nuevo, una casa más grande, un excelente trabajo y a la pareja perfecta. De verdad, sería tan feliz». Justo en ese momento tropezó con una bolsita llena de piedras, las cuales empezó a tirar una por una al mar, cada vez que decía: «Sería feliz si...». Y así las arrojó casi todas, hasta que quedó una sola en la bolsa y decidió guardarla. Cuando llegó a su casa descubrió que aquella piedrecita era un diamante muy valioso (Prieto & Forner, 2009).

¿Te imaginas cuántos diamantes habrá arrojado al mar sin darse cuenta? Así nos sucede a nosotros muchas veces, que por estar soñando —y quejándonos— con aquello que idealizamos, nos perdemos de cosas verdaderamente valiosas que tenemos en nuestras manos, y como no lo sabemos, terminamos desechando grandes tesoros.

En la vida se nos presentan muchas circunstancias que nos llevan a valorar los tesoros que hemos perdido. En la Biblia, en la epístola a los Hebreos, se nos anima a estar contentos con lo que tenemos ahora y a hacer las cosas sin avaricia (Hebreos 13:5).

Pero ¿qué es avaricia? Definamos esta palabra como el afán o el deseo desordenado, desmedido, de poseer algo por el simple hecho de acumularlo. Pero fijémonos en que Dios nos dice que no nos acostumbremos a vivir así, porque cuando lo hacemos, pasamos el tiempo muy ocupados y sin disfrutar todo lo bueno que tenemos ahora.

Además, Dios también nos dice que debemos estar contentos con lo que tenemos. Esto no es sinónimo de conformismo o mediocridad, sino que se refiere a una actitud de gratitud. Cuando somos agradecidos, conocemos el valor de aquello que tenemos en nuestra mano, lo protegemos y podemos avanzar sin destruirlo ni perderlo.

Piensa en todo aquello que has logrado hasta hoy. Por un momento enfócate en tu trayectoria e identifica las cosas que tienes, qué personas te acompañan en ese camino y cuáles han sido los obstáculos que has enfrentado.

Ahora reflexiona y responde: ¿lo disfrutas?, ¿te has dado cuenta de la riqueza que tiene aquello que ya está en tus manos? No pienses solo en bienes materiales; incluye tu conocimiento, tus experiencias, las oportunidades que has tenido y cada una de las herramientas con las que cuentas hoy para apoyarte en la vida que deseas seguir construyendo.

Recuerda, Dios quiere darte nuevas bendiciones, pero no puedes olvidar que ya has recibido. Cuando te detienes solo a pensar en las cosas que no tienes, lo que te falta, aquello que no lograste, será inevitable que te llenes de amargura. Pero si te enfocas en los tesoros que ya has recogido, los valoras y agradeces, serás feliz sea cual sea tu circunstancia. De esta manera, podrás avanzar hacia tus sueños, disfrutando de cada momento.

Miremos el ejemplo del montañista. Él disfruta de los retos y los riesgos en la experiencia de escalar porque todo eso forma parte de su historia camino a la montaña; no solo relata el momento en el que llega a la cima. El proceso le da valor al resultado. Imagínate si el montañista solo hablara del momento en que alcanza la cima, ya no sería igual de emocionante, ¿cierto? Todo lo que ocurre, incluso antes de empezar a escalar, es lo que le permite deleitarse en la meta lograda. Sumado al valor de cada momento vivido, por más difícil que haya sido.

El gran error del pueblo de Dios cuando salió de Egipto fue ese: estaban felices por la liberación de la esclavitud y hasta hicieron una gran cena de acción de gracias para celebrarlo. Sin embargo, mientras pasaban los días, empezaron a quejarse y querían volver a Egipto. Ellos no valoraron todo lo que Dios había hecho para sacarlos de aquella tierra y de su condición de esclavitud.

Olvidaron que Dios los alimentó en el desierto con maná, una especie de pan que venía del cielo exclusivamente para ellos; hasta llegaron a decir «¡Qué pan tan malo este! Ya estamos fastidiados de comer eso». (Números 21:5). Esa actitud de queja permanente no les dejó contemplar lo bueno que Dios era con ellos. Es por eso que la generación que salió de Egipto no logró vivir para ver la tierra prometida, sino que pasaron años en el desierto, y solo sus hijos y nietos recibieron la nueva tierra (Deuteronomio 1:35), a pesar de que también habían soñado con conocerla.

Y es que no basta solo con soñar, también debemos disfrutar, valorar y agradecer el camino hacia eso que anhelamos; es la única manera de descubrir qué nos está aportando ese momento a nuestra vida.

Recuerda al hombre de la historia, que por estar pensando en lo que le hacía falta nunca se dio cuenta de que en sus manos tenía los diamantes que le ayudarían a cumplir todos sus sueños. Ten una actitud de agradecimiento hacia Dios y hacia todas las personas que durante el camino de tu vida te han ayudado a levantar. ¡Valora y agradece!

ACCIÓN TRANSFORMADORA

Nro. 26: Valora y agradece las experiencias
que vives en el proceso.

REFLEXIONA Y ACTÚA:

¿Qué tienes hoy?

_____

_____

_____

_____

¿Qué anhelas tener?

_____

_____

_____

_____

¿Te sientes agradecido con lo que tienes
hoy o vives quejándote por lo que no tienes?

_____

_____

_____

_____

¿Has descuidado algo o a alguien?

_____

_____

_____

_____

¿Por qué?

_____

_____

_____

_____

¿Qué agradeces hoy?

_____

_____

_____

_____

Devocional 27
Aprovecha

Según las encuestas económicas, el famoso *Black Friday* rompió récord en los Estados Unidos, alcanzando los 7 400 millones de dólares en ventas *online* para el año 2019 (García, 2020). Por lo general, en ese día todos queremos aprovechar los descuentos que ofrece el comercio y estamos dispuestos a madrugar y a hacer largas filas con el fin de obtener los beneficios que nos ofrecen.

Pero vamos a pensar un poco, ¿te imaginas cómo sería si tuviéramos esa misma actitud para aprovechar todas las oportunidades que se nos presentan? La vida está llena de estas, las cuales debemos reconocer y echarles mano.

En la Biblia encontramos la historia de un hombre llamado Bartimeo que supo aprovechar una gran oportunidad. Él era un ciego que se encontraba sentado junto al camino mendigando. Pero este hombre escuchó que Jesús pasaría cerca del lugar donde él estaba y justo en el momento que se dio cuenta de la cercanía del Maestro, gritó: «Jesús, Hijo de David ¡ten misericordia de mí!».

Cuenta el relato que muchos lo regañaron para que se quedara callado, pero mientras más lo hacían, Bartimeo alzaba más su voz; él no se dejó callar por otras voces, sino que hizo todo lo posible para llamar la atención. Al escuchar su insistencia, Jesús se detuvo y lo mandó a llamar.

Los hombres le dijeron: «Tranquilo, ¡levántate! Jesús te está llamando». Enseguida arrojó su capa, se levantó y se fue a buscarlo. Al encontrarse con Jesús, este le preguntó: «¿Qué quieres que haga por ti?». Bartimeo respondió: «Maestro, quiero recobrar la vista». Entonces Jesús le dijo: «Vete. Tu fe te ha sanado». Y el texto cierra diciendo que «enseguida el ciego recobró la vista y siguió a Jesús en el camino» (Marcos 10:46).

Analicemos esta historia bíblica destacando cuatro situaciones:

1. La oportunidad: Bartimeo se enteró que Jesús pasaría por ese lugar. El Maestro iba por muchos caminos acompañado siempre de una gran multitud y justo en ese momento estaría cerca de él, ¡y sin duda Él tenía el poder para sanarlo! Así que comenzó a gritar. Este hombre no estaba dispuesto a perder la oportunidad que se le estaba presentando en ese momento.

2. La insistencia: Bartimeo no gritó solo una vez, sino varias veces. Incluso, por encima de quienes le reprendían diciendo que se callara; pero él no se calló porque estaba decidido a conseguir la atención de Jesús.

3. La decisión: recordemos que era un mendigo y que su única posesión era una capa. Pero apenas Jesús lo mandó a llamar, Bartimeo la soltó sin dudarlo, tomando el riesgo de perder lo único que tenía. ¿Te imaginas lo que representa para una persona que viva en las calles despojarse de algo que lo protege del frío? Probablemente ese era su bien más preciado, pero al mismo tiempo era la prenda que lo identificaba como un mendigo: una capa sucia y mal oliente. Así que no titubeó ni un segundo en arrojarla para ir tras una nueva oportunidad. Se arriesgó porque creía que podía obtener algo mejor.

4. El milagro: Jesús le dijo a Bartimeo: «Vete, tu fe te ha sanado». Él reconoció la fe de aquel hombre; pero ¿sabes algo?, más allá del milagro de la vista, hubo una transformación en la vida de un hombre. Antes de hablarle del milagro, le dijo: «Vete». Es decir, «no sigas aquí». Dios quiere sanarnos en todas las áreas de nuestra vida. Sin embargo, necesitamos alejarnos de aquellos lugares desérticos que consumen nuestra vida y nos mantienen sentados y mendigando. Porque al final, Bartimeo dejó de estar en un lugar de miseria, y pasó a estar al lado del Maestro, porque decidió seguirlo.

¿Dónde te encuentras hoy y en qué condición estás? Si quieres una nueva vida, ¡aprovecha! Dios quiere transformar tu realidad. Arroja la capa que te cubre hoy y ve tras una nueva oportunidad. Levántate de donde estás, porque en definitiva hay algo mejor para ti.

ACCIÓN TRANSFORMADORA

Nro. 27: Aprovecha las oportunidades, insiste y toma decisiones. Hay algo mejor para ti.

REFLEXIONA Y ACTÚA:

¿Qué oportunidades se te han presentado?

_____
_____
_____
_____

¿Las has aprovechado?

_____
_____
_____
_____

¿Qué situaciones se te presentaron en contra de esa oportunidad?

_____
_____
_____
_____

¿Continuaste o te dejaste llevar por el temor y las voces que te decían «no»?

_____
_____
_____
_____

¿En qué condición estás hoy?

_____

_____

_____

_____

¿Deseas una nueva vida?

_____

_____

_____

_____

¿Qué decisión piensas tomar?

_____

_____

_____

_____

Devocional 28

Ama

Hace algunos años, un doctor que trabajaba como voluntario de un hospital conoció a una pequeña niña que sufría de una extraña enfermedad sin cura. La única manera en la que podía recuperarse era recibiendo una transfusión de su hermano menor, quien tras haber sobrevivido a la misma enfermedad había desarrollado los anticuerpos necesarios para combatirla.

Entonces, el doctor le explicó pacientemente la situación al niño y le preguntó si estaría dispuesto a dar su sangre. Por un momento, el pequeño dudó, pero después de un suspiro muy profundo, le respondió: «Sí, le voy a dar mi sangre para que ella viva».

El niño estaba acostado en una camilla al lado de su hermana, y se veía muy sonriente mientras se realizaba la transfusión. Los médicos y enfermeros que atendían el procedimiento observaban cómo poco a poco regresaba el color a las mejillas de la niña. Para su sorpresa, el pequeño se empezó a poner pálido y su sonrisa fue desapareciendo. Parecía estar muy asustado. Entonces, el pequeño miró al doctor y le preguntó con voz temblorosa: «Doctor ¿a qué hora empezaré a morir?».

El niño no había comprendido la explicación del doctor y había entendido que debía dar toda su sangre a su hermanita para que ella pudiera vivir, y que por ello moriría. Lo más impresionante es que aun así él había aceptado hacerlo, porque el verdadero amor da sin condiciones (Promonegocios, 2012).

El amor es poderoso porque viene de Dios. Él es la esencia del amor y es su cualidad más fuerte (1 Juan 4:8). En un devocional anterior analizábamos que Él nos amó primero y no al revés. Esto es impresionante.

¿Sabes algo? Dios no tiene amor, Él es amor y dice la Biblia que nada, «ni lo presente, ni lo que vendrá en el futuro, ni poderes espirituales, ni lo alto ni lo profundo, ni ninguna otra cosa creada podrá separarnos del amor de Dios» (Romanos 8:31-39).

Es por este amor que Él nos ve con ojos de misericordia, nos perdona y borra nuestras rebeliones (Isaías 43:25). Dios ha derramado su amor en cada uno de nosotros y este se va haciendo más fuerte a medida que nos amamos los unos a los otros (1 de Juan 4:12).

Recuerda que Él es la fuente del amor, el cual ha sido derramado en mí para que yo ame a otros. Así que si necesitas sentirte amado acude a Dios. Quizá encuentres muchas fuentes con las que intentes saciar tu sed, pero al poco tiempo te sentirás más vacío y sediento.

Todos tenemos la necesidad de recibir y de dar amor, pero solo podemos obtenerlo de la verdadera fuente que es Dios; después estaremos en la capacidad de compartirlo generosamente. Acércate a Él y sacia primero tu sed para que puedas ayudar a otros. No podemos dar de aquello que no tenemos.

Podemos pensar en el tanque de un vehículo, el cual debe llenarse de combustible. Cuando este se enciende, el tanque empieza a inyectarlo al sistema para que el carro pueda marchar. Pero si está vacío no sucederá nada.

Así somos nosotros; necesitamos nuestro tanque lleno, tener el corazón conectado a la fuente de amor, porque este es el combustible para poner en marcha nuestra vida.

El amor se manifiesta cuando perdonas, sirves a los demás, eres compasivo y cuidas a otros. Este se demuestra con acciones concretas y se perfecciona en la medida que las realizas. De esta manera te conviertes en un canal a través del cual fluye el agua de esa fuente.

Pero ¿será posible amar a otros, incluso si parecen no merecerlo? Desde nuestra lógica humana, la respuesta es no. Sin embargo, desde la de Dios sí podemos hacerlo, porque vas a dar de lo que tienes.

Recuerda que la manera de saber que hay en el corazón de una persona es observando sus acciones y escuchando sus palabras porque «el hombre bueno, saca lo bueno del buen tesoro de su corazón. El hombre malo, saca lo malo del mal tesoro de su corazón; porque de la abundancia del corazón habla la boca» (Lucas 6:45). Si tu fuente está vacía o tienes muy poca agua en ella, ¿cómo puedes dar de beber a un sediento?

¿Quieres aprender a amar a otros? Ve a la verdadera fuente del amor y llena primero tu corazón del «agua que sacia tu sed». Prepárate para compartirlo con otros. Cuando recibes el amor de Dios estás en capacidad de dar de ese amor que todo lo puede, porque es capaz de perdonar, no es egoísta, ni orgulloso, no guarda rencor, no tiene envidia; todo lo cree, todo lo espera y todo lo soporta. Este es, según la Biblia, más importante que el conocimiento y los dones sobrenaturales. Sin amor, nada somos (1 Corintios 13).

ACCIÓN TRANSFORMADORA

Nro. 28: Aprende y capacítate a través del
amor de Dios para amar a otros.

REFLEXIONA Y ACTÚA:

Recuerda lo que dice Lucas 6:45 y medita
en eso. ¿Qué hay en tu corazón?

_____

_____

_____

_____

¿Cómo tratas a los demás y por qué?

_____

_____

_____

_____

¿Cómo demuestras el amor de Dios hacia las demás personas?

_____

_____

_____

_____

Lee 1 Corintios 13, allí encontrarás las características del
verdadero amor, ¿en cuál de estas consideras que debes trabajar?

_____

_____

_____

_____

Devocional 29
Tolera

Es un hecho que en ocasiones nos cuesta mucho aceptar y comprender a los demás cuando no estamos de acuerdo con su manera de pensar o de ser. De hecho, muchas relaciones se ven afectadas porque no somos capaces de ser empáticos, de ponernos en el lugar del otro y tratar de entender sus razones, o al menos los sentimientos que se ocultan detrás de su comportamiento.

Es un hecho que todos somos diferentes, por eso necesitamos aprender a escucharnos para así entender el punto de vista de los demás, antes de juzgarlos de forma apresurada y dañarlos. Por esta razón, la Biblia nos da un sabio consejo: «Acéptense unos a otros, así como Cristo los ha aceptado. Acéptense para honrar a Dios» (Romanos 15:7). Esto quiere decir que Dios quiere que tengamos relaciones saludables con los demás, y por eso nos dice que una manera de honrarlo es aceptándonos mutuamente.

Además, Dios dice a través de su palabra que no debemos enojarnos, ni amargarnos unos con otros (Colosenses 3:13). Y necesitamos aplicar esto, porque los desacuerdos, nos gusten o no, son parte del día a día de las relaciones de pareja, familiares, con nuestros amigos e incluso las laborales.

Pero el problema no son los desacuerdos. Los conflictos se presentan cuando no estamos en la capacidad de escuchar y manejamos la situación gobernados por la ira, el orgullo y la prepotencia. Ninguna de estas tres son buenas consejeras ya que siempre nos llevarán a buscar tener la razón a como dé lugar, sin importar si pasamos por encima de los sentimientos del otro.

En cuanto a esto, la epístola a los Colosenses nos enseña lo siguiente: «... más bien, perdónense unos a otros. Cuando alguien haga algo malo, perdónenlo». ¿Sabes por qué?, porque precisamente así es como Dios ha demostrado su amor para con nosotros: soportándonos, tolerándonos, perdonándonos y aceptándonos a pesar de nuestras equivocaciones.

¿Recuerdas el relato bíblico que narra aquel momento cuando los fariseos llegaron ante Jesús con la mujer adúltera? Ellos estaban esperando a que Él diera una orden para apedrearla. Pero cuando Jesús les dijo: «El que esté sin pecado que tire la primera piedra», sin duda cambiaron sus planes. Ahora me gustaría saber, si hubieras estado en el lugar de Jesús, ¿cuál habría sido tu respuesta?

Dios quiere que manifestemos su amor siendo respetuosos y tolerantes con los demás. Es más, el amarnos los unos a los otros es un mandamiento dado directamente por Jesús, así que no podemos decir que amamos a Dios si no lo hacemos con el prójimo (1 Juan 4:21).

Así que no juzgues a otros sin conocer sus intenciones, porque si no, serás juzgado de la misma manera (Mateo 7:2). No hemos sido llamados para descalificar a otros, sino a amar y a restaurar.

En Hebreos 12:14 dice que debemos procurar la paz con todos. Pero es necesario aclarar que cuando hablamos de tolerancia no quiere decir que debamos aprobar un acto indebido.

Según el *Diccionario de la lengua española,* la palabra tolerar significa «llevar con paciencia». En ningún sentido quiere decir aprobar o participar en aquello que ofende a Dios. Esto lo podemos ver en la actitud que Él tiene hacia nosotros: el Señor tiene las puertas abiertas para todos y si nos acercamos a su presencia, no nos echa afuera. Pero Él desea restaurarnos porque nos ama.

Fíjate en el caso de la mujer adúltera. Jesús no permitió que la apedrearan y confrontó a los fariseos; pero de ningún modo aprobó el acto de adulterio, por eso le dijo: «¡Vete y no peques más!». Jesús nunca juzgó a los demás, buscó restaurar al otro desde su amor.

Acepta y tolera a los demás como Dios lo ha hecho contigo. Recuerda que también Él te perdonó y te restauró a pesar de tus errores.

ACCIÓN TRANSFORMADORA

Nro. 29: No juzgues a los demás; más bien tolera y restaura a quien lo necesite.

REFLEXIONA Y ACTÚA:

Cuando te encuentras con una persona que ha cometido un error, ¿qué haces?

_____

_____

_____

_____

¿Lo juzgas o lo restauras?

_____

_____

_____

_____

¿Qué significa para ti restaurar?

_____

_____

_____

_____

¿Qué persona o personas usó Dios para tu restauración?

_____

_____

_____

_____

Tú eres testimonio del amor de Dios. Piensa en una persona a quien hayas juzgado fuertemente, búscala y ayúdala a levantarse.

_____

_____

_____

_____

Devocional 30

Reflexiona

Los estudios médicos por imágenes son un método de diagnóstico utilizado para examinar las condiciones del interior de nuestro cuerpo. Gracias a ellos es posible detectar la presencia de enfermedades como el cáncer, identificar su nivel de propagación, y por los resultados planificar un tratamiento.

Este método es muy importante en el área de la salud, pero, así como examinamos nuestro cuerpo por dentro, ¿cómo crees que podemos diagnosticar nuestro estado espiritual y emocional? Un diagnóstico físico a tiempo puede salvar tu vida de la muerte; lo mismo sucede con tu vida espiritual.

En una oportunidad tuve una cita con una nutricionista y entre las cosas más importantes que hizo fue pedirme que recordara las cosas que había comido los últimos días y después realizar un trabajo de reflexión para hacerme consciente de la responsabilidad que tenía respecto a mi alimentación. Eso me hizo entender algo: así como existen hábitos inadecuados que dañan nuestra salud física, también existen los que enferman nuestra salud emocional y espiritual.

En 1 Corintios 11:28, el apóstol Pablo nos invita a examinarnos a nosotros mismos. Para hacerlo, debemos ser conscientes de aquellas prácticas que perjudican nuestro bienestar y deterioran nuestra relación con Dios. La reflexión es el método que nos permite examinar nuestra salud emocional y espiritual; esta hace despertar nuestra conciencia, tal como sucedió en la historia que compartiré a continuación:

La Biblia narra que, en cierta ocasión, el profeta Natán visitó al rey David y le contó la siguiente historia:

«En una ciudad había dos hombres, uno era rico y el otro pobre. El primero tenía una gran cantidad de ovejas y vacas;

pero el segundo tan solo tenía una ovejita que había comprado con mucho esfuerzo y él mismo la había criado. Esta ovejita creció en compañía suya y de sus hijos, comía de su misma comida, bebía de su vaso y hasta dormía en su pecho. Aquel hombre la quería como a su propia hija. Un día el hombre rico recibió una visita, y para el banquete este no quiso tomar ninguna de sus muchas ovejas y vacas. Entonces fue hasta la casa del hombre pobre y le quitó su única ovejita y la preparó para dársela al que había llegado».

Después de contarle esta historia, Natán le preguntó a David: «Y tú, ¿qué piensas de esto?». A lo que el rey, enfurecido, respondió: «¿Quién es ese hombre? Te aseguro Natán, que quien hizo esto merece la muerte. Es más, debe pagar cuatro veces el valor de la ovejita porque actuó sin mostrar ninguna compasión». Entonces el profeta le respondió: «David, ese hombre eres tú».

David quedó sorprendido, pero de inmediato Natán le recordó lo que él había hecho: un día, mientras caminaba por la terraza de su palacio, David vio una mujer y la tomó para sí, sin importar que esta fuera la esposa de uno de sus soldados. Y luego, al darse cuenta de que estaba embarazada, mandó a matar a su esposo para quedarse con ella. Después de que David escuchó esto, admitió ante Natán que había fallado y había pecado contra el Señor (2 Samuel 12). Como consecuencia, el rey se arrepintió y a raíz de todo esto escribió el Salmo 51, que dice:

«Ten piedad de mí, oh Dios, conforme a tu misericordia: conforme a la multitud de tus piedades borra mis rebeliones. Lávame más y más de mi maldad y límpiame de mi pecado. Porque yo reconozco mis rebeliones, y mi pecado está siempre delante de mí» (Salmo 51:1-3). Más adelante, continúa: «Crea en mí, oh Dios, un corazón limpio, y renueva un espíritu recto dentro de mí. No me eches de delante de ti, por favor, Dios, ni tampoco quites de mí tu Santo Espíritu» (Salmo

51:10-11). Este es un salmo hermosísimo que nos habla del perdón y reconciliación con Dios.

La situación de David empezó a cambiar cuando reflexionó sobre sus actos. También vemos que en otro Salmo dijo: «Examíname, oh Dios, y conoce mi corazón: pruébame y reconoce mis pensamientos. Y ve si hay en mi camino de perversidad y guíame en el camino eterno» (Salmo 139:23-24). David reconoció que necesitaba retomar el camino y Natán fue el instrumento que Dios usó para invitarlo a reflexionar sobre su comportamiento.

La facultad de reflexionar y examinarnos debe convertirse en una práctica constante para nosotros, porque en nuestra condición de seres humanos cometeremos muchos errores.

Esto sucede cuando somos conscientes de nuestra condición de pecadores y nos acercamos a Dios para ser examinados por Él. Solo cuando nos examinamos podemos hacernos reconocer cuáles son los cambios que necesitamos. Recuerda también que las transformaciones genuinas y perdurables son aquellas que vienen desde nuestro ser interior.

ACCIÓN TRANSFORMADORA

Nro. 30: Reflexiona permanentemente sobre tu vida y realiza los cambios necesarios para que puedas volver a empezar.

REFLEXIONA Y ACTÚA:

Examina tu vida espiritual. ¿Cómo está tu intimidad con Dios?

_____
_____
_____
_____

Examina tu vida emocional. ¿Cómo te sientes hoy?

_____
_____
_____
_____

¿Te sientes feliz?

_____
_____
_____
_____

¿Estás satisfecho con la vida que has construido?

_____
_____
_____

¿Por qué crees que te encuentras en esta situación?

_____

_____

_____

_____

David cometió muchos errores, pero transformó su vida de la mano de Dios. Y tú ¿ya reflexionaste sobre tu estado emocional y espiritual?

_____

_____

_____

_____

¿Identificaste la causa de esta situación?

_____

_____

_____

_____

¿Qué piensas hacer ahora para transformar tu camino?

_____

_____

_____

_____

Devocional 31
No dudes

Durante unas vacaciones en la costa, una familia presenció una gran tempestad. Las olas subían a enormes alturas, mientras que los vientos fuertes sacudían con violencia las embarcaciones que estaban amarradas al muelle. Uno de los niños, que tenía doce años, miraba desde la ventana y se fijó en una boya que flotaba serenamente en medio de aquel turbulento mar, y que, a pesar de los ventarrones, se mantenía en su lugar. El niño sorprendido le comentó a su padre, quien le explicó que la boya permanecía firme porque estaba amarrada a un ancla en el fondo del mar (Robleto, 1980).

Así también es nuestra vida. Si nuestra fe está anclada a Cristo podemos enfrentarnos con calma ante cualquier viento contrario que se nos presente.

¿Te puedo dar un consejo? Ancla tu vida a Dios para que te sientas seguro a pesar de las tormentas. Hay una historia en la Biblia que nos habla sobre la seguridad que debemos tener en Jesús para enfrentar las tormentas.

El día que ocurrió el milagro de la multiplicación de los panes y los peces, después de haber despedido a las personas tras una larga jornada de trabajo, Jesús se apartó a descansar y a pasar un tiempo solo en oración. Ese día le había hablado a una multitud de 15 000 personas. Mientras tanto, los discípulos se habían adelantado en una barca para llegar a la siguiente ciudad.

Cuando ya estaban en medio del mar, se desató una gran tempestad. Entonces, los discípulos empezaron a sentir mucho miedo. Y para completar, en ese momento Jesús no estaba con ellos. Se encontraban sin su líder en medio de una tormenta, quien los fortalecía en la fe y era el que hacía los milagros.

De un momento a otro, los discípulos vieron a la distancia a alguien que venía caminando en medio del mar y pensaron que se trataba de un fantasma. ¿Te imaginas aquel escenario? El mar enfurecido, ellos llenos de miedo y ahora la imagen de un personaje que caminaba sobre el agua. Entonces, una calmada voz irrumpió el rugido de la tormenta: «Tranquilos, no tengan miedo, soy yo».

En ese momento, Pedro, uno de sus discípulos, le respondió: «Jesús, si eres tú, yo también quiero caminar sobre el agua». Jesús le contestó: «Pues Pedro, deja la barca, sal de allí y ven». Y así lo hizo. Los otros discípulos se quedaron en la barca, pero él decidió salir, atreverse a caminar sobre el agua y tomar el riesgo (Mateo 14).

Todos hemos escuchado o leído esa historia; también se ha hablado mucho del Pedro valiente que caminó sobre el agua y que luego se llenó de miedo cuando miró las fuertes olas, dejó de ver a Jesús y se hundió. Sí, es cierto, pero en este momento quiero que nos enfoquemos en el punto de partida de Pedro. Él se atrevió a pesar del miedo y de las circunstancias que lo rodeaban. Su fe le alcanzó para salir de la seguridad de la barca.

Ahora presta atención a esto: cuando Pedro dudó y empezó a hundirse, Jesús le dijo: «Oye Pedro, hombre de poca fe, ¿por qué dudaste?» (Mateo 14:31). ¿Te imaginas? Si Pedro, que fue el único que se atrevió a salir, es un hombre de poca fe, entonces, ¿qué diremos de los otros que se quedaron en la barca?, ¿o de nosotros mismos?

Quizá has salido de tu comodidad y te arriesgaste como Pedro a poner un pie fuera de la barca en medio de una gran tormenta. Tal vez has dado un paso de fe hacia tus proyectos, tus sueños, tus propósitos. Decidiste creerle a Dios, pero en medio del camino se te acabaron las fuerzas o te llenaste de miedo. Recuerda entonces las palabras de Jesús hacia

Pedro: «Deja la barca. Sal de allí ¡ten ánimo! Yo estoy aquí, no dudes».

¿Sabes qué fue lo que hizo Jesús cuando Pedro estaba hundiéndose? Justo en ese momento, Jesús extendió su mano, lo levantó y ambos siguieron caminando. El relato finaliza diciendo que cuando ellos entraron a la barca el mar se calmó. Es decir que mientras ellos siguieron caminando hacia la embarcación, la tempestad no cesó y el viento no se calmó. Las circunstancias no cambiaron, pero la actitud de aquel discípulo sí. Esta vez estaba tranquilo porque iba de la mano de Jesús.

Si estás pasando por situaciones difíciles, ¡no dudes! Así los vientos sean contrarios o el mar esté enfurecido. Da un paso de fe y sigue avanzando porque no vas solo, Jesús está de tu lado y te extiende la mano para levantarte.

ACCIÓN TRANSFORMADORA

Nro. 31: Sigue caminando. No dudes a pesar de la adversidad.

REFLEXIONA Y ACTÚA:

Pedro vivió una experiencia sobrenatural porque se atrevió a salir de la barca donde se sentía seguro de aquella gran tormenta. ¿Cuál es tu «mar enfurecido» y cuál es tu «barca»?

_____
_____
_____
_____

¿Estás atravesando un momento difícil en tu vida?

_____
_____
_____
_____

Pedro sintió miedo, y tú, ¿qué sientes en este momento?

_____
_____
_____
_____

En medio de las circunstancias que atraviesas, ¿qué pasos de fe has dado?

_____
_____
_____
_____

Devocional 32
No te des por vencido

En cierto lugar había una pareja a la que le gustaba visitar las pequeñas tiendas del centro de la ciudad. En una oportunidad entraron a una y se quedaron admirando una hermosa tacita que había llamado su atención. La esposa se acercó al vendedor y le dijo: «¿Me permite ver esa taza, por favor? La verdad, nunca he visto nada tan fino y tan hermoso». Cuando la señora tomó la taza en sus manos, para su sorpresa, el pequeño objeto comenzó a contar su historia:

«Señora, yo no he sido siempre la taza que usted está sosteniendo hoy. Hace mucho tiempo yo era solo un poco de barro, hasta el día en que un artesano me tomó entre sus manos y me fue dando forma. Mientras lo hacía, comencé a desesperarme y le gritaba: "Por favor, señor, ¡déjeme en paz!". Pero mi amo, el alfarero, solo me sonrió y me dijo: "Aguanta un poco más, que todavía no es tiempo".

»Después me puso en un horno. Nunca había sentido un calor tan ardiente. Toqué la puerta del horno varias veces y a través de la ventanilla pude leer los labios de mi amo que me decía: "Aguanta un poco más, un poco más. Todavía no es tiempo".

»Cuando mi artesano al fin abrió la puerta, me sacó y me puso en un estante. Sentí un alivio que no duró mucho, pues apenas me estaba refrescando, cuando me agarró de nuevo y comenzó a lijarme. Honestamente, no sé cómo no acabó conmigo. Recuerdo que me daba vueltas, me miraba de arriba abajo y por último me aplicó meticulosamente varias pinturas. La verdad, mi señora, sentía que me ahogaba por ese olor tan penetrante, y le suplicaba que me dejara en paz. Pero él solo me decía: "Aguanta un poco más, un poco más, todavía no es tiempo".

»Entonces, creí que ya había terminado, pero no fue así. De repente me introdujo en otro horno mucho más caliente que el anterior. En ese momento pensé que el calor terminaría con mi vida. Le rogué, le imploré a mi artesano que me sacara de ese lugar; grité y lloré varias veces, porque sentía que no lo soportaría más. Pero por alguna razón que aún no comprendo, sí pude aguantarlo todo.

»Finalmente, mi artesano abrió la puerta, me tomó con cariño y me llevó a un lugar diferente y precioso, lleno de tazas maravillosas, que eran unas obras de arte.

»¿Y sabe qué mi señora? No pasó mucho tiempo cuando descubrí que se trataba de una tienda fina y que ante mí había un espejo. Me vi reflejada allí y pude darme cuenta de que una de esas maravillas era yo. ¡No podía creerlo! Hasta hace poco tiempo era tan solo barro. Entonces mi artesano me dijo: "Yo entiendo que sufriste al ser moldeada por mis manos, pero mira ahora en la figura admirable que te has convertido. También sé que sentías un calor intenso, casi insoportable, pero ahora mira tu sólida consistencia. Comprendo que sentiste dolor mientras te pulía con aquella áspera lija, sin embargo, ahora gozas de una elegante presencia. ¡Y ni hablar de la pintura y su olor fuerte y desagradable para ti! Pero ahora tienes una hermosura admirable. Ahora eres una obra de arte terminada. Todo lo que imaginé cuando apenas eras un barro y te comenzaba a formar» (Grimaraldo, 2014).

Tal vez en este momento te sientes como la tacita; puede que hoy estés pasando por momentos difíciles que no entiendes. Pero recuerda esas palabras del alfarero y tómalas para ti: «Aguanta un poco más… tan solo un poco más», así no comprendamos el porqué de ciertos sufrimientos.

En el Evangelio de Juan vemos que Jesús dijo que las ramas que dan fruto deben ser limpiadas para que den más fruto (Juan 15:2). Este es un proceso que implica cortar y perder parte de nosotros mismos para que podamos crecer.

¡Anímate!, y levanta tu voz como lo hizo David: «Dios, no desampares la obra de tus manos» (Salmo 138:8). Él sabía que vivir el proceso era doloroso, porque crecer muchas veces implica alejarse, renunciar, perder aquello que se tiene y elegir; todo eso es parte de la formación.

¡Así que no te des por vencido en medio del proceso! David le dijo a Dios en el mismo Salmo 138: «Señor, yo sé que tú cumplirás tu propósito en mí». Puede que en este momento tengas algunos conflictos personales, pero no te sueltes de las manos de Dios. Deja que Él sea tu alfarero, y así como David, fortalécete en la esperanza de que Él cumplirá su propósito en ti. Piensa que, como en la historia de la tacita, todo lo que estás enfrentando valdrá la pena. Esfuérzate un poco más, no te des por vencido porque tu trabajo tendrá recompensa (2 Crónicas 15:7).

ACCIÓN TRANSFORMADORA

Nro. 32: Recuerda que Dios cumplirá su propósito en ti. Continúa, porque que tu trabajo tendrá recompensa.

REFLEXIONA Y ACTÚA:

¿Alguna vez has vivido un momento de mucho dolor, sufrimiento y/o adversidad?

_____

_____

_____

_____

¿Qué cambió en tu vida después de todo ese proceso?

_____

_____

_____

_____

Lee Salmo 138:8 y 2 Crónicas 15:7 y escríbelos para ti. Memoriza ambos textos y confiésalos en los momentos que sientas caer.

Y hoy, ¿en qué parte del proceso estás?

_____

_____

_____

_____

La taza experimentó muchas sensaciones y emociones en el proceso. ¿Qué estás viviendo tú ahora?

_____

_____

_____

_____

Devocional 33
No des ventaja

Cuenta una leyenda que en 1485 el rey Ricardo III se preparaba para la batalla de Bosworth en la cual se definiría quien gobernaría Inglaterra. Un ejército conducido por Enrique, Conde de Richmond, marchaba contra él.

Aquella mañana de la batalla, el rey Ricardo envió a uno de sus criados a comprobar si su caballo favorito ya estaba listo. Entonces, el criado se dirigió al herrero y le ordenó:

—¡Ponle pronto las herraduras! El rey desea cabalgar al frente de sus tropas.

—Tendrás que esperar —respondió el herrero—, en estos días le he trabajado a todo el ejército del rey y ahora debo conseguir más hierro.

—¡No puedo esperar! —gritó el criado con impaciencia—. Los enemigos del rey avanzan y debemos enfrentarlos en el campo. Así que, ¡arréglate con lo que tengas!

Ante esa presión, el herrero puso manos a la obra y utilizó una barra de hierro para hacer las cuatro herraduras; las martilló, las moldeó y las adaptó a los cascos del caballo. Pero cuando empezó a clavarlas, se le presentó un grave problema: luego de fijar la tercera descubrió que no tenía suficientes clavos para la cuarta. Así que le dijo al criado:

—Mira, necesito un par de clavos más. Así que me llevará un poco más de tiempo porque voy a sacarlos de otro lado.

—¡Te dije que no puedo esperar! —dijo el impaciente criado—. ¡Ya oigo las trompetas! Así que, ¡arréglate con lo que tengas!

—Puedo poner la herradura, pero no va a quedar tan firme como las otras —respondió el herrero.

—¡Aguantarán! —exclamó el criado.

—Honestamente, no puedo asegurarlo —contestó el herrero.

—¡Clávala! —ordenó el criado—. ¡Y hazlo deprisa!, porque el rey Ricardo se va a enfadar con los dos.

Después de esto empezó la batalla más importante de la vida del rey. Los ejércitos chocaron. Justo cuando el rey Ricardo estaba en el momento más fuerte, cabalgando de un lugar a otro, alentando a sus hombres y luchando contra los enemigos, vio que, a lo lejos del campo, algunos de sus hombres retrocedían, y pensó que si otros los veían también se retirarían. Así que el rey se fue hacia la línea que estaba rota y ordenó a sus soldados que regresaran a la batalla.

Y justo allí, en el medio del campo, el caballo del rey Ricardo perdió una herradura. El animal tropezó y rodó, haciendo que el monarca cayera al suelo antes de poder tomar las riendas. El asustado animal se levantó y echó a correr.

El rey miró hacia su alrededor y vio que sus soldados se daban media vuelta y huían, mientras que las tropas de Enrique lo rodeaban. Así que Ricardo agitó la espada en el aire y gritó:

—¡Un caballo, un caballo! Doy mi reino por un caballo —pero no había ninguno para él.

Su ejército lo había abandonado, porque solo pensaron en salvarse. Poco después, los soldados de Enrique se abalanzaron sobre él y la batalla terminó con la muerte de Ricardo III.

Desde entonces, las personas decían: «Por falta de un clavo, se perdió una herradura; por falta de una herradura, se perdió un caballo; por falta de un caballo, se perdió una batalla; por falta de una batalla, se perdió un reino».

¡Y todo por la falta de un clavo! Esta historia nos enseña cómo un pequeño descuido puede generar una gran pérdida y muchas desventajas. Piensa por un momento si alguno de los problemas que tienes hoy tiene su origen en un descuido que le dio una ventaja al enemigo.

La Biblia dice que tenemos un adversario que quiere robarnos la paz, matar nuestras ilusiones, sueños y propósitos. Tenemos un enemigo que quiere destruir nuestra relación con Dios y cada aspecto de nuestra vida —espiritual, emocional y física— por eso no debemos ignorar sus maquinaciones (2 Corintios 2:11). Es decir, no debemos pasar por alto la forma en la cual él actúa y evitar darle ventaja manteniéndonos alertas.

En la epístola a los Efesios 4:27, Pablo nos habla de ciertas situaciones que necesitamos manejar en nuestra vida para que no le demos ventaja al enemigo, tales como: la mentira, la amargura, el hurto, los gritos, las calumnias, las conversaciones obscenas y la ira. No ajustar estos clavos en nuestra vida nos coloca en una posición de desventaja.

Recuerda que un pequeño descuido puede contaminar tu vida espiritual y desatar una serie de problemas en tus relaciones, en tu economía o tu salud; de la misma manera como la falta de un clavo terminó afectando al reino.

ACCIÓN TRANSFORMADORA

Nro. 33: No descuides las pequeñas acciones que pueden contaminar tu vida.

REFLEXIONA Y ACTÚA:

Efesios 4:25-32 nos dice las diferentes formas en las que damos ventaja al adversario, ¿en cuál de ellas debes trabajar?

_____

_____

_____

_____

Recuerda la historia del rey Ricardo. Por la falta de un pequeño clavo se desató un gran problema: la destrucción del reino. Analiza la historia de tu vida y responde: ¿qué descuidos has tenido y qué problemas han causado en tu vida?

_____

_____

_____

_____

¿Qué decisiones debes tomar en tu vida para no descuidar tu vida emocional y espiritual? Realiza un compromiso personal.

_____

_____

_____

_____

Devocional 34
No te condenes

■ Recuerdas el relato de la mujer adúltera del que hablamos
¿ en otros devocionales? Ahora quiero que nos centremos en
aquel momento en el que Jesús dijo a aquellos hombres:
«El que esté sin pecado que tire la primera piedra». Cuando
escucharon estas palabras, cada uno de los hombres allí
reunidos se fueron retirando lentamente. Entonces Jesús le
dijo a la mujer: «¿Dónde están los que te acusaban? Ni yo te
condeno. Vete y no peques más». Estas palabras liberaron
emocional y espiritualmente a esa mujer.

Existen muchas personas que viven en una permanente
autocondenación. Quizá tú mismo te has sentido así; pero
hoy Jesús te dice: «Ni yo te condeno». A veces pasamos años
lastimando y maltratando nuestra dignidad y autoestima por
situaciones que vivimos en nuestro pasado y recordamos con
dolor. Esto hace que cada vez nos hundamos más.

En una entrevista que le hicieron a un hombre que había
estado preso durante muchos años, este contó que cuando
salió de la cárcel se sorprendió al ver un mundo distinto al que
conocía. El tiempo en prisión no había detenido al mundo,
sino su vida.

De la misma manera, cuando nosotros nos hundimos en
la autocondenación, nos quedamos atascados en el tiempo,
atormentándonos por los errores del pasado y permanecemos
en ese lugar de dolor.

Todos hemos cometido errores y hemos fracasado en algún
aspecto de nuestra vida. Estas cosas suceden como resultado
de nuestra inmadurez, inexperiencia, impulsividad u orgullo.
Entiendo que, como a todos nos ha ocurrido, tú también
tomaste decisiones que trajeron consecuencias muy graves

a tu vida y a la de las personas que amas. Pero ¿sabes algo?, vivir con esa condenación no va a cambiar las cosas, sino que te detiene y no te deja ver las nuevas oportunidades que llegan a tu vida. ¿Qué puedes hacer? Pídele perdón a Dios y perdónate a ti mismo.

El enemigo de nuestras almas busca la manera de acusarnos y de cargar nuestra mente con juicios para que perdamos la paz. De esta manera logra frenar nuestra vida y hace que perdamos nuestra visión. Lo más lamentable es que, sin darnos cuenta, nuestra mente y emociones terminan bajo su influencia y nos creemos la mentira de que somos culpables, llevándonos a la autodestrucción.

Además, nuestro adversario también se aprovecha de aquellas personas que te señalan cada vez que intentas levantarte y que se creen tu «memoria externa», manteniendo el recuerdo de tu pasado y acusándote ante otros.

¿Recuerdas la historia del elefante del Devocional 20? ¡Eres fuerte en Dios!, puedes soltar tu carga. Dice la Biblia que no hay ninguna condenación para los que están anclados a Jesús (Romanos 8:1). Jesús no te condena; Él te dice «vete y no peques más», así que ¡no te condenes tú! Libérate de las pesadas cadenas que has venido arrastrando, porque Cristo hace mucho tiempo las rompió para darte libertad.

Pero eso sí, no peques más. No seas «como el mulo, sin entendimiento, que después hay que sujetarlo con freno» (Salmo 32:9). Porque, aunque no hay condenación para los que permanecemos en Cristo, la otra condición que leemos en Romanos 8:1 es que aplica «para los que no andan conforme a la carne, sino conforme al Espíritu».

Suelta ese pasado tormentoso. La máxima liberación es recibir el perdón de Dios, perdonarse a sí mismo y apartarse para tener una vida renovada en Él. Solo así podrás seguir tu camino sin condenarte y tendrás un futuro glorioso. Perdónate y ¡no te condenes más!

ACCIÓN TRANSFORMADORA

Nro. 34: Sigue tu camino sin condenarte. Perdona tu pasado.

REFLEXIONA Y ACTÚA:

¿Qué historia de tu pasado aún te persigue?

_____

_____

_____

_____

Pide perdón a Dios y recíbelo.
¿Quiénes te acusan están libres de pecado?

_____

_____

_____

_____

¿Qué dice Jesús para ti en Juan 8:10?

_____

_____

_____

_____

¿Ya te apartaste o sigues en el mismo camino?

_____

_____

_____

_____

¿Piensas seguir viviendo así o quieres ser libre?

_____

_____

_____

_____

Devocional 35
No te atemorices

Una madre contó que cuando su hijo mayor tenía dos años fue sometido a una cirugía. En el momento en el que la enfermera entró con la inyección de la anestesia, el pequeño la miró con miedo y comenzó a lloriquear. Al verlo, ella trató de consolarlo diciéndole: «Tranquilo, no llores. No te dolerá». El niño asustado miró a su mamá y le preguntó: «Mamá, ¿es verdad que no me dolerá?». Su madre le respondió: «Sí hijo, te va a doler. Pero aquí está mi mano. ¡Apriétala mucho! Tranquilo. Yo estaré contigo».

Como aquel niño, muchos de nosotros nos hemos sentido atemorizados y nos llenamos de preguntas ante determinadas situaciones. El miedo parece paralizarnos y anhelamos una voz que nos aliente a seguir a pesar del temor que nos invade.

En este mundo enfrentamos situaciones que permanentemente nos retan y nos causan dolor durante el proceso. De algunas salimos victoriosos, de otros cargados de tristeza y lágrimas. Y en medio de todo eso, Dios extiende su mano y nunca nos deja solos.

Todo esto nos recuerda las palabras que Moisés le dio a Josué antes de partir. Él sabía que, ante semejante reto de conquistar una nueva tierra, Josué se llenaría de miedo y probablemente podría paralizarse. Entonces le dijo: «Tranquilo, porque el Señor va delante de ti. Él estará contigo, no te dejará ni te desamparará».

Dios tenía un plan para Josué y le prometió que no lo dejaría ni lo desampararía. Pero como ya lo hemos conversado en otros devocionales, la tarea de Josué era ser fuerte y no tener miedo delante de sus enemigos, porque debía confiar en que el Señor iba delante de él.

De igual manera, Dios tiene un plan perfecto para ti, un propósito por el cual estás aquí. Y así como le hizo esa promesa a Josué, nos la hace a nosotros. ¿Cuál debe ser nuestro compromiso hacia Dios? Simplemente que nos encontremos con ese propósito y lo cumplamos, caminando todos los días en pos de alcanzarlo. Sin embargo, debemos reconocer que siempre estamos llenos de distracciones que nos impiden aclarar nuestra mente y nuestro camino. Por eso, en el momento que llega la gran oportunidad no la vemos, porque no estamos preparados y nos paralizamos. El miedo y las dudas se apoderan de nosotros.

El miedo puede ser nuestro aliado cuando lo sabemos interpretar. De hecho, este es útil para anunciarnos un peligro y estar preparados para enfrentar lo que se avecine. Pero también se puede convertir en un fuerte enemigo si en vez de alistarnos y prevenirnos, nos paraliza e intimida; esto trae como consecuencia que no nos atrevamos a dar el primer paso, porque ya nos sentimos derrotados.

Analicemos tres claves para vencer el temor:

1. La primera clave es enfrentar el miedo con la fuerza de Dios, no con las nuestras. Pero ¿cómo podemos hacerlo? La manera de fortalecernos en Él es a través de su palabra y la oración. Como dijo David: «Lámpara es a mis pies tu palabra, y lumbrera a mi camino» (Salmo 119:105).

2. La segunda es cuidar nuestros pensamientos, no permitiendo que nuestra mente se llene de palabras llenas de temor que justifiquen nuestra falta de decisión. En el libro de Proverbios vemos que Salomón dijo: «Lo que más teme el perverso, eso le sucederá, pero el justo alcanzará lo que desea» (Proverbios 10:24). Por su parte, Job dijo: «Todo lo que yo temía, lo que más miedo me causaba, ha caído sobre mí» (Job 3:25).

3. La tercera clave es moverse a través de la fe. Recuerda la historia de los discípulos en la barca. Cuando ellos estaban atemorizados por la gran tormenta en altamar, Pedro se atrevió a caminar sobre el agua, pero justo en el momento en el que miró la tempestad empezó a hundirse y Jesús le dijo: «¡Hombre de poca fe! ¿Por qué dudaste?». La fe en Jesús fue lo que le permitió a Pedro caminar sobre el agua, pero cuando dejó de ver el motivo de su confianza, el miedo se apoderó de él. La fe vence el temor, ¡no te atemorices!

ACCIÓN TRANSFORMADORA

Nro. 35: Enfrenta el miedo, cuida tus pensamientos y muévete a través de la fe.

REFLEXIONA Y ACTÚA:

¿Qué oportunidad has dejado ir a causa del miedo?

_____

_____

_____

_____

Analiza la situación que estás viviendo pensando en el miedo como tu aliado y como tu enemigo. ¿Qué te dice si es tu aliado?

_____

_____

_____

_____

¿Qué te dice si es tu enemigo?

_____

_____

_____

_____

Recuerda las tres claves para vencer el temor, ¿cómo aplicarías estas tres claves en tu vida diaria?

_____

_____

_____

_____

Devocional 36
No te conformes

Cuando revisamos la historia de la humanidad encontramos que han existido hombres y mujeres que marcaron la diferencia en sus entornos, porque decidieron ver los obstáculos como retos que podían superar y se levantaron una y otra vez ante las caídas y fracasos.

El escritor Ted W. Strom explicaba de manera muy sencilla que el mundo está dividido en dos grupos: la minoría y la mayoría, diciendo que los primeros son aquellos que convierten las oportunidades en retos y están dispuestos a luchar para alcanzar sus objetivos. Por el contrario, los segundos son los conformistas que no se preocupan por nada y viven sin propósito alguno.

¿Estás dispuesto a marcar la diferencia y pertenecer a esa minoría? Dios ha depositado un potencial en cada uno de nosotros para transformar a otros. Es por eso que en la Biblia podemos ver que Él usó personas comunes y corrientes para cambiar el mundo. Ellos tenían debilidades, pero estaban dispuestos a ser un instrumento de transformación y de bendición para otros. Entonces, como puedes ver, Dios es experto en usar a personas ordinarias con sueños extraordinarios.

El apóstol Pablo escribió que Dios puede hacer cosas más abundantes de las que pedimos, esperamos y pensamos, según su poder, que opera en cada uno de nosotros (Efesios 3:20). Es decir, que Él tiene la capacidad de superar nuestras expectativas, así que abre tu mente y no te conformes con la realidad que tienes hoy. Las adversidades, las pérdidas, los fracasos son retos a superar. No pienses que el obstáculo es el fin de tu camino pues hay mucho más para ti.

Piensa en grande y trabaja por ello, teniendo siempre a Dios delante. Pero recuerda que el resultado es por causa de su poder actuando en y a través de ti. La bendición abundante que disfrutas hoy es gracias a las capacidades y talentos que Dios y solo Él ha puesto en ti. Él nos usa para ser bendecidos y bendecir a los demás.

No te conformes, ni te menosprecies. Recuerda que Dios tiene un plan perfecto para ti. Como dijo Pablo, el Señor te tomó de «lo vil del mundo y a lo menospreciado, y lo que no es, para deshacer lo que es a fin de que nadie pueda jactarse en su presencia» (1 Corintios 1:28-29). Es decir que si tú has sido menospreciado y sientes que no te han valorado en el mundo, eres candidato para que Él te use y te coloque en un lugar de importancia y valor.

Si hasta este momento has creído que eres incapaz, que no sabes, que no tienes y que aquello que anhelas es imposible, déjame decirte que para Dios absolutamente todo es posible, porque Él se lleva la gloria a través de la obra que hace en ti.

Simplemente pon tu vida en las manos de un Dios que es todopoderoso y ten grandes metas. Amplía tu fe, porque Él tiene lo mejor para ti. Pero debes acercarte, buscarlo, trabajar, esforzarte y tener objetivos claros, para que puedas avanzar en ellos cada día. Sé consciente de lo que el Señor ha puesto en tu mano y avanza hacia una meta. ¡No te conformes!

ACCIÓN TRANSFORMADORA

Nro. 36: No te conformes con la realidad
que tienes hoy, piensa en grande.

REFLEXIONA Y ACTÚA:

¿Cuál es la realidad que tienes hoy?

_____
_____
_____
_____

¿Estás conforme con ella?

_____
_____
_____
_____

¿Cuál son tus capacidades, dones o talentos?

_____
_____
_____
_____

¿Qué metas estás construyendo?

_____
_____
_____
_____

Devocional 37
Ilumina

Quiero compartir contigo una hermosa anécdota sobre la importancia de ser luz para otros:

Hace cientos de años, en una ciudad del Oriente, un hombre ciego caminaba de noche por las oscuras calles llevando una lámpara de aceite encendida. La ciudad era muy lóbrega en las noches sin luna, y esa era una de esas noches. Mientras caminaba, aquel hombre se encontró con un amigo que lo reconoció de inmediato. Cuando se acercó y vio que cargaba una lámpara, le preguntó: «Oye amigo, y tú siendo ciego ¿qué haces con una lámpara en la mano? Si tú no puedes ver».

Entonces el invidente le respondió: «Yo no llevo la lámpara para ver mi camino. Yo conozco de memoria la oscuridad de las calles. La llevo para que otros encuentren su camino cuando me vean a mí» (Campos, 2016).

Jesús dijo que tú y yo somos la luz del mundo. Es más, si leemos el texto completo vemos que Él añadió: «Tampoco se enciende una lámpara de aceite y se tapa con una vasija. Al contrario, se pone en el candelero de manera que alumbre a todos los que están en la casa».

Dios nos dice que, así como una lámpara ilumina, nosotros debemos estar dispuestos a ser luz. Esto significa que, a partir de nuestro testimonio de vida, otros puedan acercarse al Señor (Mateo 5:14- 16). El apóstol Pablo le dijo a Timoteo: «No dejes que nadie te considere menos por ser joven. Sé ejemplo para los creyentes en tu hablar, en tu conducta, en amor, en fe y en pureza» (1 Timoteo 4:12).

A través de estas palabras, Pablo le estaba explicando a Timoteo cinco maneras en las cuales un creyente puede ser ejemplo para iluminar el camino de otros. Debemos convertirnos en modelos en lo que respecta a nuestra manera de hablar, de comportarnos, en el amor que expresamos, en la fe que tenemos y en pureza. Ahora revisemos cada uno de estos aspectos del ser luz:

- **En nuestra manera de hablar:** somos luz cuando usamos de manera sabia cada palabra que sale de nuestra boca. En la Biblia dice que tendremos que dar cuenta a Dios de toda palabra ociosa que hablemos (Mateo 12:36).
- **En nuestro comportamiento:** somos luz a través de nuestro comportamiento cuando controlamos nuestro carácter y actuamos con honestidad y rectitud.
- **En el amor que expresamos:** en este sentido, somos luz cuando servimos y actuamos con compasión y empatía ante la situación del otro.
- **En la fe que tenemos:** somos luz en la fe cuando demostramos nuestra confianza en Dios en momentos difíciles, porque creemos que Él tiene el control de todo.
- **En pureza:** somos luz en pureza cuando actuamos con coherencia entre lo que decimos y lo que hacemos. La palabra puro se refiere a algo que no contiene mezcla de otras sustancias, es una sola cosa; es natural, transparente, sin contaminación. Entonces, actuar en pureza es comportarse de manera correcta, íntegra y respetuosa hacia los demás.

En otra de sus cartas, específicamente en la que era dirigida a la iglesia de Filipos, el apóstol Pablo nos anima a comportarnos como es digno (Filipenses 1:27). A medida que identificamos cuáles áreas de nuestras vidas debemos fortalecer tenemos la posibilidad de encender nuestra luz. Esto nos permitirá inspirar a otros.

No somos perfectos. Tenemos muchas debilidades aún y Dios por supuesto que lo sabe; pero eso no limita el llamado que nos hace para trabajar todos los días en nosotros mismos, ser transformados y poder transformar a otros.

Imagínate a alguien diciendo: «¡Mírenlo!, yo lo conocí cuando era... pero ahora miren cómo habla, cómo procede, cómo reacciona. ¡He sido testigo de su cambio!». ¿Te gustaría que quien te señala hoy, luego hable así de ti? Las personas conocen el principio de tu historia, pero no tu final. Revisa tu lámpara y enciende tu luz, y con ella ilumina a todo el que anda en oscuridad.

ACCIÓN TRANSFORMADORA

Nro. 37: Sé ejemplo, conviértete en referente para otros.

REFLEXIONA Y ACTÚA:

¿Cómo es tu manera de hablar?

_____

_____

_____

_____

¿Cómo te comportas en los momentos difíciles?

_____

_____

_____

_____

¿Sirves a los demás?

_____

_____

_____

_____

¿Eres compasivo?

_____

_____

_____

_____

¿En qué eres ejemplo ante los demás?

_____

_____

_____

_____

¿En qué área de tu vida debes trabajar para
convertirte en ejemplo para otros?

_____

_____

_____

_____

Devocional 38
Confía

Antes de su muerte, Jesús les contó a sus discípulos una historia que conocemos como la parábola de los talentos. En ella se narra que un hombre llamó a tres de sus siervos y les dio una cantidad de dinero, de acuerdo a la capacidad que cada uno de ellos había demostrado. Al primero le dio cinco talentos, al segundo le dio dos y al tercero uno. Luego les dijo: «Voy a hacer un largo viaje y cuando regrese les voy a pedir un informe de lo que hicieron con el dinero que les di. Así que pónganlo a trabajar y multiplíquenlo».

Dice el relato que los dos primeros se pusieron a trabajar y lograron invertir y multiplicar lo que su señor les había entregado, mientras que el tercero no lo hizo así. Cuando el amo volvió de su largo viaje, los llamó para rendir cuentas y les preguntó qué habían hecho con el dinero que les había entregado. El primero le respondió: «Señor, me diste cinco talentos, aquí tienes otros cinco». El segundo dijo: «Me diste dos y gané otros dos». El señor de aquellos siervos, los felicitó por su gran trabajo y reconoció que eran muy buenos trabajadores, además de siervos fieles.

Pero cuando llegó el turno del tercero, este dijo: «Señor, no me fue tan bien como a los otros. La verdad me dio miedo y escondí el talento en tierra. Aquí tienes lo que me diste, te lo devuelvo». Entonces, el hombre muy molesto le dijo: «Eres un mal siervo, perezoso y muy negligente». Después de eso, ordenó que le quitaran el talento al siervo y se lo dieran al que tenía diez (Mateo 25. Paráfrasis del autor).

Cuando Jesús terminó de contar la parábola, les dijo: «Porque a todo el que tiene se le dará más y tendrá en abundancia. Al que no tiene se le quitará hasta lo que tiene» (Mateo 25:29).

En esta historia narrada por el mismo Jesús se nos afirma que todos hemos recibido habilidades y capacidades especiales. Estas deben ser usadas para ser bendecidos y bendecir a otros y no en placeres egoístas. Dios nos las entregó para que cumplamos con la tarea de administrarlas. Entonces, te pregunto, ¿qué estás haciendo con ellas?

Tómate un momento para pensar en cuáles son tus capacidades, qué ha puesto Dios en tus manos y respóndete: ¿qué has hecho con ese talento? ¿Lo has fortalecido y se multiplicó o lo enterraste en algún momento de tu vida?

Así como el hombre de la historia, a veces decidimos enterrar nuestros talentos y con ellos los sueños que teníamos guardados en nuestro corazón. Te diré algo que he aprendido: esperar a que alguien nos dé lo que queremos o quejarnos de aquel que tiene lo que nosotros anhelamos no es la solución a los problemas que tenemos. Pero ¿sabes qué sí puede ayudarnos mucho a alcanzar nuestros sueños?: conocer qué tenemos en las manos para desarrollar y ponerlo en acción. ¡Desentierra tu talento! Administra lo que tienes por poco que parezca, porque Dios irá multiplicándolo.

Confía en aquello que Dios depositó en ti. No digas como el mal siervo: «Es que tuve miedo y lo escondí». Ese hombre no solo perdió el tiempo, sino la gran oportunidad de su vida. El temor se apoderó de él y no le permitió ver lo que podía lograr, solo porque se concentró en las cosas terribles que podían ocurrirle.

A veces nos sucede lo mismo: tenemos un llamado de Dios, una habilidad especial que Él nos ha dado, una gran idea por desarrollar, pero no la llevamos a cabo por miedo. Ahora quiero que pienses en lo siguiente: si Dios la puso en tus manos es porque confía en ti, ¿pero tú confías en Dios? Sé consecuente con esa confianza que Dios depositó en ti. ¡Levántate y desarrolla tu potencial!

ACCIÓN TRANSFORMADORA

Nro. 38: Desarrolla tu talento, no tengas miedo.

REFLEXIONA Y ACTÚA:

¿Qué sueños tenías desde niño?

_____

_____

_____

_____

¿Cuál es la habilidad, capacidad o talento que te hacen único?

_____

_____

_____

_____

¿Qué piensas hacer para desarrollar tu potencial?

_____

_____

_____

_____

Devocional 39
Derriba esquemas mentales

Esta es la historia de una mujer que solía hacer tortas de pan en su casa. Cada vez que preparaba una, le cortaba las dos puntas, la metía en el horno y luego desechaba lo que había cortado. Un día su pequeña hija le preguntó: «Mamá, ¿por qué siempre le cortas las puntas a la torta de pan?». La madre le contestó: «Porque así lo hacía tu abuela».

Entonces, la niña llena de curiosidad observó que, en efecto, su abuela hacía lo mismo, así que le preguntó: «Abuela, ¿por qué tú le cortas las dos puntas a la torta de pan?». La señora la miró y le respondió: «Porque así debe ser. De esta manera lo hacía tu bisabuela».

Pero la pequeña no se conformó, y en su afán de querer descubrir la respuesta fue a visitar a su bisabuela, a quien tenía aún con vida, y le preguntó lo mismo. La anciana mujer le dijo: «Ah, esto lo hacía porque mi horno era demasiado pequeño y solo así podía entrar» (Díaz, 2012).

Esta anécdota refleja algo que sucede con frecuencia, y es que nos hemos acostumbrado a actuar de manera predeterminada en ciertos aspectos de nuestra vida, entonces terminamos dentro de algunos esquemas mentales que nos limitan y nos hacen perder oportunidades que representan bendiciones para nosotros.

Estos esquemas se pueden manifestar de muchas maneras. Una de ellas es a través de nuestras palabras, en las que nos refugiamos para no sentirnos «tan mal». Un ejemplo de esas frases que solemos usar es la popular: «Es mejor ser pobre, pero honrado». Y aunque es cierto que debemos ser honestos, esto no implica que necesariamente tengamos que ser pobres, en especial si tenemos a un Padre bueno que está dispuesto a bendecirnos en abundancia, y que nos dio la capacidad para prosperar.

Otras de esas frases que suelen ser muy comunes y que usamos cuando alguien empieza a soñar en grande son: «Siga soñando, que eso no es posible» o «Llevamos años y ninguno en esta familia ha logrado estudiar».

Estos son solo algunos ejemplos de esas frases limitantes, sujetas a esos esquemas que nos han acompañado por generaciones y a los que erradamente hemos decidido darles toda la credibilidad. Incluso, dejamos de creer las promesas de Dios y sucumbimos a esos patrones de pensamientos y palabras que nos llenan de vergüenza, desconfianza, temor e incapacidad. Esto repercute de forma directa en nuestras acciones.

En consecuencia, el tiempo pasa y no intentamos nada porque ya estamos "programados" a que las cosas son de esa manera y transmitimos estas palabras de generación en generación. Ahora, te pregunto, ¿cuántas veces Dios ha puesto una idea en nuestra mente, pero por razones que no nos explicamos no damos el primer paso?

Dios nos quiere usar, pero hay ciertos esquemas limitantes que nos detienen. Pero eso no es algo que te pase solamente a ti. Como vimos en algunos devocionales anteriores, personajes como Moisés y Gedeón tenían patrones mentales que los hacían sentir incompetentes para el llamado: uno decía que era torpe de lengua y no podía enfrentarse a ese desafío; el otro creía que era muy chico y muy pobre como para ser un instrumento de liberación para un pueblo. Del mismo modo, el profeta Samuel casi comete un error cuando fue a ungir el rey de Israel que sustituiría a Saúl, porque tenía un esquema mental respecto a cuáles debían ser las características de un gobernante. Sin embargo, Dios le llamó la atención diciéndole que Él no miraba lo alto o lo bien parecido que era, sino el corazón.

Es por eso que el apóstol Pablo hace una oración pidiéndole a Dios que iluminara los ojos de nuestro corazón. En otra versión bíblica dice: «Pido que Dios les ilumine la mente, para que sepan cuál es la esperanza a la que han sido llamados, cuán gloriosa y rica es la herencia que Dios da al pueblo santo» (Efesios 1:18). Permite que el Señor abra los ojos de tu entendimiento para que puedas ver la esperanza y la riqueza que Él nos ha entregado.

Quizá muchas de las frases que usamos son muy populares y aceptadas por todos, pero Dios nos dice que no vivamos según el modelo de este mundo (Romanos 12:2). Identifica cuáles son palabras o pensamientos limitantes te han acompañado a lo largo de tu vida y pídele a Dios que rompa estos esquemas mentales, para que transforme tu manera de pensar y de hablar. La única manera de comprobar la buena, agradable y perfecta voluntad del Señor es precisamente rompiendo esos moldes limitantes que residen en nuestra mente.

ACCIÓN TRANSFORMADORA

Nro. 39: Cambia tus pensamientos limitantes por pensamientos de fe y de victoria.

REFLEXIONA Y ACTÚA:

¿Qué palabras o frases has escuchado a lo largo de tu vida que te limitan a tomar decisiones? Escríbelas.

_____

_____

_____

_____

¿Qué mensajes te han dejado estas palabras limitantes?

_____

_____

_____

_____

Lee cada palabra o frase que escribiste en la primera pregunta y transfórmala en un nuevo mensaje para ti, esta vez como una palabra renovada, acorde a la Palabra de Dios.

_____

_____

_____

_____

Devocional 40
Permanece firme

A principios del siglo XX, en el estado de Kansas, Estados Unidos, ocurrió un incendio en una escuela rural por causa de una vieja estufa de carbón. En este accidente hubo dos víctimas: dos hermanos, uno de diez y otro de ocho años de edad. El primero no sobrevivió y el segundo resultó con quemaduras muy severas y comprometedoras en la parte inferior de su cuerpo. Aquel niño había perdido toda la carne de sus rodillas, pantorrillas y los dedos de su pie izquierdo, entre otras lesiones.

El diagnóstico era desalentador. Los médicos recomendaron la amputación de ambas piernas, pero sus padres no lo permitieron. Ante la negativa de la familia, los médicos fueron claros en anunciarles que dada la gravedad de la situación su hijo nunca volvería a caminar.

Todos los días sin falta, su madre masajeaba las piernas de aquel niño, aunque él permanecía en la cama o en la silla de ruedas. Pero él tenía la fuerte determinación de caminar. Tanto era su empeño, que un día su madre lo llevó al patio de su casa para que tomara aire fresco. Ese día, en lugar de quedarse sentado se tiró de la silla y se impulsó sobre el césped arrastrando sus piernas, hasta que llegó a un cerco de postes que rodeaban el jardín, se apoyó en ellos y logró subirse con un gran esfuerzo.

Empezó a hacer lo mismo todos los días, hasta que dos años después, en 1919, logró volver a caminar. Luego descubrió que sus piernas sufrían menos cuando corría. Entonces corría a todas partes, a tal punto que para su último año de secundaria ganó varias carreras de la milla.

Mientras estuvo en la universidad, formó parte del equipo de carreras sobre pista y tiempo después llegó a ser el atleta estadounidense que corrió el kilómetro más veloz del mundo en el Madison Square Garden[2].

Este joven determinado llamado Gleen Cunningham conquistó dos títulos de la Asociación Nacional Deportiva Universitaria (NCAA) y ocho títulos nacionales de la Unión Deportiva Amateur (AAU). Además, a lo largo de su carrera, estableció dos récords mundiales de una milla en 4:06,8, y dos semanas más tarde, otro por 800 metros en 1:49,7. Batió en total siete récords mundiales *indoor* en 1 500 metros y 1 milla.[3]

La historia de Gleen Cunningham muestra el valor de la determinación, la constancia y la capacidad de permanecer firme cuando todo está en nuestra contra y todos dicen que no es posible. Él lo logró y nosotros también podemos.

El apóstol Pedro nos invita también a permanecer firmes en la fe (1 Pedro 5:9). Estudiemos tres claves que nos ayudarán a permanecer firmes y lograr nuestras metas, aun en las circunstancias más difíciles de la vida.

La primera clave es ser constantes. Cunningham se convirtió en un campeón a causa de su constancia. Él no renunció a lo que quería a pesar de recibir noticias negativas desde muy niño. El apóstol Pablo hizo una analogía de nuestra vida con una carrera atlética diciendo que «cuando hay una carrera, todos corren para ganar, pero solo uno recibe el premio. Así que corran para ganar» (1 Corintios 9:24-25). Y

---

2 El Madison Square Garden es un pabellón deportivo multiusos situado en el distrito de Manhattan, en el estado de Nueva York, en Estados Unidos.

3 Esta historia fue escrita a partir de los datos arrojados por diversas fuentes consultadas en la web. Para mayor información consultar en https://www.ecured.cu/ Glenn_V._Cunningham y en su libro autobiográfico Never Quit, de 1981.

para lograrlo no basta con correr durante la competencia, sino que es necesario prepararse todos los días para enfrentarla. Es decir, pese a que no vislumbremos cuando se presentará una gran oportunidad, la constancia nos lleva a entrenar para estar listos cuando esta llegue.

La segunda clave es mantener la mirada en nuestra meta. Piensa por un instante en cada una de las noticias que enfrentó Cunningham. ¿Sabes cuál fue su respuesta?: las superó enfocándose en lo que quería lograr y no en lo que escuchaba en su presente desalentador. Para alimentar la constancia nuestra mirada debe estar en los objetivos a largo plazo, porque estos son los que nos alentarán a seguir. Pero si miras tu presente te rendirás, no tendrá sentido lo que hagas.

En el libro de Hebreos dice que nos despojemos del peso y del pecado que nos asedia, y nos anima a correr con paciencia la competencia que tenemos por delante. También nos dice que, para ganar la carrera de la vida, debemos poner nuestra mirada en Jesús, el autor y consumador de la fe (Hebreos 12:1). Y esta es la única manera de permanecer firmes en la fe: mirar a Cristo, quien es nuestra meta.

Por último, **la tercera clave es ser disciplinados.** Retomemos la analogía del atleta que nos plantea el apóstol Pablo. Él dijo que si alguien quiere ganar debe abstenerse de muchas cosas. De hecho, una traducción bíblica lo dice de la siguiente manera: «Disciplino mi cuerpo como lo hace un atleta y lo entreno para que haga lo que debe de hacer» (1 Corintios 9:27). Es decir que para permanecer firme en la fe es necesario renunciar a ciertas situaciones que nos impiden avanzar. El atleta que quiere ganar debe dejar a un lado ciertas distracciones que lo alejan de lo que es verdaderamente importante.

ACCIÓN TRANSFORMADORA

Nro. 40: Sé constante, mantén la mirada
fija en la meta y sé disciplinado.

REFLEXIONA Y ACTÚA:

Todos tenemos sueños, y sabemos que las pequeñas acciones
nos ayudan a estar más cerca de ellos. Entonces, ¿qué haces
diariamente para acercarte a tu meta?

_____

_____

_____

_____

La Biblia dice que, si el atleta se esfuerza por un premio que
no dura, cuánto más nos deberíamos esforzar por nuestra meta
espiritual —la salvación— que dura para siempre, ¿qué haces
para permanecer firme en tu vida espiritual?

_____

_____

_____

_____

Hoy analizamos tres claves para permanecer firmes: ser
constantes, mantener la mirada fija en la meta y ser disciplinado.
¿Cuál de ellas debes fortalecer?, ¿qué harás para lograrlo?

Devocional 41

Adáptate

El escritor Spencer Johnson, en su libro *¿Quién se ha llevado mi queso?*, cuenta la historia de cuatro ratones: los dos primeros, llamados Fisgón y Escurridizo, y otros dos más pequeños llamados Kif y Koff. Ellos se pasaban sus días corriendo por los pasillos de un laberinto en busca de queso. El relato nos dice que en un momento determinado los roedores hallaron una habitación repleta de queso, razón por la cual decidieron ir a ese lugar todos los días para alimentarse. Pero como casi todas las cosas en la vida, el queso se acabó.

Frente a esa situación, Fisgón y Escurridizo salieron a buscar más queso en cualquier otro lugar, mientras que Kif y Koff se bloquearon y se negaron a aceptar lo que había ocurrido. Estos dos pequeños ratones todos los días se la pasaban deseando que de repente el queso volviese a aparecer en el mismo lugar, algo que nunca sucedió. Esto causó que, con el paso del tiempo, ellos se sintieran frustrados.

Finalmente, después de mucho tiempo, Kif y Koff lograron comprender que debían cambiar de actitud y salir a otro lugar en busca de más queso. Entonces lograron encontrar otra habitación repleta de queso en la que también estaban Fisgón y Escurridizo, quienes ya llevaban tiempo allí tranquilos y felices, comiendo (Johnson, 2000).

Esta ingeniosa historia que nos regala Spencer Johnson nos habla de la importancia de adaptarnos a los cambios de manera positiva, entendiendo que la vida está llena de estos. Y que suelen ser muy constantes, obligándonos a movernos de nuestra zona de comodidad, aunque en ese proceso podamos perder ciertas cosas que consideramos valiosas.

La vida es como aquel laberinto de la historia, con muchos posibles caminos: unos con mejores opciones y otros sin salida, con dificultades y obstáculos para transitar. En cuanto a esto, el mismo Jesús nos dejó esta advertencia cuando les dijo a sus discípulos: «En este mundo tendréis aflicciones, pero ¡tened ánimo! Yo he vencido al mundo» (Juan 16:33).

Si has tenido una pérdida, acepta la situación, adáptate a ella y muévete hacia otros lugares. Adaptarse no significa quedarnos quietos o conformes, sino que nos transformemos para poder desarrollarnos en condiciones distintas a las que estábamos habituados. Esto implica acción, y la mayoría de las veces, empezar desde cero.

Dios sabe que mientras afrontas la situación, posiblemente llegará el dolor y Él quiere consolarte; pero también desea que renueves tus fuerzas como lo hace el águila (Isaías 40:31). Desarrolla tu capacidad de adaptación a los cambios que la vida te presenta.

En la Biblia encontramos la historia de muchos hombres de fe que aprendieron a adaptarse a los cambios que la vida les presentó. Analicemos brevemente la vida de tres de ellos.

El primero fue Moisés, quien tuvo que dejar el palacio y los privilegios que disfrutaba por ser el nieto del Faraón para irse a cuidar ovejas durante cuarenta años. No conforme con eso, tuvo que experimentar otro cambio: pasó de cuidar ovejas a dirigir a un pueblo rebelde hacia la tierra prometida. Sin duda, el gran líder y legislador hebreo tuvo que aprender a adaptarse a sus nuevas condiciones de vida ¡en dos oportunidades!

El segundo hombre fue David. Antes de ser ungido como rey, él estaba muy tranquilo cuidando las ovejas de su padre, hasta el día en el que se arriesgó a enfrentar a Goliat. Este suceso le trajo el reconocimiento del pueblo, gloria y un buen trabajo en el palacio. Así que, de un momento a otro, tuvo que abandonar a su propia familia. Luego tuvo que empezar a huir y esconderse en una cueva, porque el mismo rey Saúl lo perseguía para asesinarlo. Pero este jovencito pastor de ovejas, músico y guerrero, terminó siendo el rey de Israel.

El tercer ejemplo fue José, el menor de doce hermanos, pastor de ovejas y el hijo consentido de Jacob. Este joven fue vendido por sus celosos hermanos como un esclavo a unos mercaderes que lo llevaron a Egipto, para ponerlo al servicio de un oficial del Faraón.

En el libro de Génesis narra que cuando José trabajaba como esclavo en casa de ese oficial, «Jehová estaba con José, y fue varón próspero; y estaba en la casa de su amo el egipcio. Y vio su amo que Jehová estaba con él, y que todo lo que él hacía, Jehová lo hacía prosperar en su mano. Así halló José gracia en sus ojos, y le servía; y él le hizo mayordomo de su casa y entregó en su poder todo lo que tenía» (Génesis 39:2-3).

Sin embargo, tiempo después una calumnia provocó que terminara en la cárcel. Pero en este lapso que estuvo allí, se convirtió en el encargado de cuidar al resto de los presos. Tiempo después, cuando tenía treinta años, fue asignado como el segundo hombre al mando en Egipto, después del Faraón.

José, Moisés y David son algunos de los hombres que relata la Biblia que enfrentaron cambios rotundos y vivieron procesos muy largos de transformación. Pero todos ellos tenían algo en común: siguieron caminando en medio de cada nueva circunstancia, fijándose en el propósito que Dios les había dado; además, se destacaron en lo que hacían y en todo lugar a donde iban, y sin importar cómo cambiaba la situación, eran prosperados.

Así que cuando llegue el momento en el que tengas que enfrentar un cambio drástico en tu vida, ¡adáptate! Dios te ha revestido de armadura para enfrentar todas las adversidades.

ACCIÓN TRANSFORMADORA

Nro. 41: Adáptate a nuevas situaciones desarrollando otras habilidades.

REFLEXIONA Y ACTÚA:

¿Qué nueva situación estás enfrentando?

_____

_____

_____

_____

¿Qué tipo de cambios te generó esta situación?

_____

_____

_____

_____

¿Cómo te estás adaptando a esta nueva situación para salir próspero de ella?

_____

_____

_____

_____

¿Qué habilidades nuevas estás desarrollando en este momento?

_____

_____

_____

_____

Devocional 42
Levanta el ánimo

Según una anécdota, hace mucho tiempo en Inglaterra existió un payaso llamado Garrick que sin duda era un gran actor. Cuando la gente lo veía, lo aplaudían y se reían sin parar. Él había sido declarado como el payaso más gracioso de la tierra y el hombre más feliz. Se dice que la gente cuando se encontraba triste, angustiada, desesperada, depresiva o víctima del estrés, acudía a verlo para cambiar su congoja por carcajadas.

En una ocasión, un hombre de mirada sombría llegó al consultorio de un famoso médico y le dijo con desesperación:

—Por favor doctor, ¡ayúdeme! Nada me causa encanto ni atractivo. Ya no me importa ni mi nombre, ni mi suerte. Me encuentro en un eterno vacío. Ahora mi única pasión es la muerte.

—Bien, te aconsejo que viajes y verás que te vas a distraer —dijo el médico.

—Doctor, he viajado muchísimo —respondió el hombre triste.

—Entonces lee —prosiguió el médico.

—En realidad, he leído muchísimo —refutó el paciente.

—Entonces busca el amor de una mujer —apuntó el doctor.

—Me siento amado por mi mujer —dijo el hombre.

—Seguro que eres pobre —intervino el médico.

—No, no, doctor. Tengo una fortuna —contestó el desdichado.

Finalmente, el médico agregó:

—Me deja perplejo tu mal y la única receta que encuentro para ti es que vayas a ver a Garrick. Todo aquel que se encuentra triste, deprimido, o con estrés, cambia de ánimo cuando lo ve. Estoy seguro de que podrá curarte.

—¿Dijo usted que vaya a ver a Garrick? —cuestionó el paciente.

—¡Sí!, a Garrick, estoy seguro que él te ayudará —insistió el médico.

—¿Está usted seguro de que Garrick me hará reír? —preguntó de nuevo el hombre con mucha duda.

—Por supuesto que sí, es el mejor payaso del mundo —concluyó el doctor.

Entonces el enfermo dijo con resignación:

—Ahora entiendo que no puedo curarme de mi mal. Cámbieme la receta doctor, porque Garrick soy yo. (Vila, 2014).

No sé si tú te sientes identificado con Garrick, pero estoy seguro de que todos hemos pasado por momentos de desánimo, de tristeza, así como en el que se encontraba aquel payaso. Incluso los hombres que han hecho cosas grandes para Dios.

Esto también ocurrió a los hijos de Coré. Ellos eran unos músicos que adoraban en el templo de Dios, hasta el lamentable día en que fueron llevados a otro país en situación de cautiverio. ¡Imagínate! Estaban lejos de los suyos y privados de su libertad. Ni siquiera podían ir al templo a hacer lo que más amaban, que era adorar al Señor, y eso los llenó de mucha tristeza. En medio de su desolación, ellos escribieron el Salmo 42.

A través de este salmo, aprenderemos algunas claves que se encuentran en el versículo once, que nos ayudarán a levantar nuestro ánimo en los momentos de tristeza. Lee conmigo lo que dice: «¿Por qué voy a inquietarme? ¿Por qué me voy a angustiar? En Dios pondré mi esperanza, y todavía lo alabaré. ¡Él es mi Salvador y mi Dios!» (Salmo 42:11).

Fíjate que la primera acción que hicieron los hijos de Coré fue preguntarse «¿Por qué voy a inquietarme? ¿Por qué me voy a angustiar?». Descubrir la causa de nuestro desanimo o angustia es el primer paso para hacerle frente a nuestras emociones y debilidades.

La segunda acción es **confiar en Dios.** A pesar de la situación, ellos decidieron poner su esperanza en Dios.

La tercera acción es **orar.** Cuando lleguen esos momentos en los que la tristeza te embargue, ora. Recuerda que Jesús también lo hizo.

La cuarta acción fue **cambiar sus pensamientos.** Ellos dejaron de verse como cautivos que estaban lejos de su hogar y recordaron que eran adoradores. Esto dio pie a la siguiente acción.

La quinta acción es **cantar.** Los hijos de Coré no solo recordaron que eran músicos, sino que empezaron a cantar. No alimentaron su tristeza, sino que alabaron a Dios.

La sexta y última acción es **declarar a Dios como el salvador.** En medio de la situación ellos colocaron su confianza en el Señor, reconocieron que solo Él podía salvarlos. Entonces lograron verlo a Él como su respuesta.

Ahora conoces estas acciones que pueden ayudarte a recuperar el ánimo cuando te sientas desanimado: primero identifica la causa de tu tristeza, confía en Dios, habla con Él, cambia tu pensamiento, cántale y confiesa que Él te sacará de donde te encuentres. ¡Levanta tu ánimo!

ACCIÓN TRANSFORMADORA
Nro. 42: No alimentes tu tristeza, transforma tu pensamiento.

REFLEXIONA Y ACTÚA:
¿Qué te causa tristeza o angustia hoy?

_____

_____

_____

_____

Identifica la causa de tu tristeza, entrégala a Dios y confía en Él.

Los hijos de Coré dejaron de pensar que estaban cautivos, recordaron que eran adoradores y empezaron a cantar. ¡No alimentes tu tristeza! ¿Qué palabras vas a cambiar hoy para poder transformar tus pensamientos y salir del desánimo en el que te encuentras?

_____

_____

_____

_____

¿Qué solías hacer en momentos de tristeza y qué decides hacer hoy para levantar tu ánimo?

_____

_____

_____

_____

Devocional 43
Cuida tu conciencia

Los sistemas de alarmas son muy importantes y útiles para proteger nuestras pertenencias de los delincuentes. De la misma manera en que existen alarmas para proteger nuestros bienes materiales, también hay de otros tipos que nos avisan cuando algo está funcionando mal.

Por ejemplo, nuestro organismo siempre tiene alguna manifestación previa al diagnóstico de cualquier enfermedad; en muchos casos es el dolor localizado. Si somos cuidadosos con nuestro cuerpo, ante cualquier cambio que detectemos, acudiremos al médico, quien nos ayudará a descubrir la enfermedad y tratarla a tiempo. En este caso, el malestar fue una alarma que sirvió como aliado, porque sin él no nos habríamos dado cuenta de lo que pasaba internamente en nuestro cuerpo.

En cuanto a lo que respecta a nuestro ser interior, tenemos una importante alarma llamada conciencia y es la que nos ayuda a identificar a tiempo si nuestro proceder será el correcto o no. El apóstol Pablo le escribió a Timoteo diciéndole: «Mantén la fe en Dios y hazle caso a tu conciencia. Algunos se han negado a hacerlo y han naufragado en la fe» (1 Timoteo 1:19).

Esto quiere decir que Dios nos recomienda cuidar de la buena conciencia, debido a que esta puede ser usada por el Espíritu Santo para encender las alarmas y así poder discernir si aquello que vamos a hacer es conveniente, correcto o agradable a Dios.

La manera en la que podemos cuidar de la buena conciencia es llenándola de principios ¡y la Biblia está llena de ellos! Cuando la alimentamos con los principios divinos, entonces el Espíritu Santo la usa para nuestro bien.

Pero fijémonos en algo y analicémoslo: las alarmas no capturan al delincuente, solo nos avisan de su presencia. Lo mismo ocurre con la conciencia. Ella no es la responsable de las decisiones que tomamos, sino que solo se encarga de avisarnos; somos nosotros quienes tenemos la libertad absoluta de tomar la decisión. Es por eso que Pablo dijo que debemos hacerle caso a la conciencia, porque aquellos que se han negado a hacerlo han naufragado en la fe.

La conciencia solo puede advertirnos basada en los principios que estén alojados en ella. Pero ¿bajo cuáles principios se rige tu conciencia? Pablo le enseñó a Timoteo que hay muchos que la tienen cauterizada (1 Timoteo 4:2).

Una conciencia cauterizada no advierte nada. Por eso el apóstol Pablo dijo que llegarán tiempos en los que el ser humano actuará y su conciencia ya no servirá de alarma porque estará cauterizada, sin principios y será incapaz de diferenciar lo correcto de aquello que no lo es.

Si no cuidamos los principios que estructuran nuestra conciencia, esta no tendrá nada que advertirnos, porque ya no reconocerá qué cosas pueden representar un peligro.

Así que cuida tu conciencia y mantenla siempre sincronizada con los principios divinos. Si la proteges, podrás escucharla para no naufragar en la fe.

ACCIÓN TRANSFORMADORA

Nro. 43: Llena tu conciencia de los principios divinos.

REFLEXIONA Y ACTÚA:

¿Cómo cuidas tu conciencia?

_____

_____

_____

_____

¿Qué principios rigen tu conciencia?

_____

_____

_____

_____

¿Cómo crees que puedes mantener tu conciencia
sincronizada con los principios divinos?

_____

_____

_____

_____

Devocional 44
Piensa bien

En cierta ocasión un joven fue a la casa de un viejo sabio en busca de ayuda y le dijo: «Maestro, vengo porque me dicen que no sirvo para nada, que no hago nada bien, que soy muy torpe y bastante tonto. ¿Qué puedo hacer para que me valoren más?». Ante la interrogante del muchacho, el viejo sabio ni siquiera lo miró. Entonces le dijo: «Cuánto lo siento muchacho, no puedo ayudarte. Debo resolver primero mis propios problemas, quizás después. Ahora, si quieres, puedes ayudarme y así yo podría solucionar esto con mayor rapidez».

«¡Claro que sí!», fue la respuesta titubeante del joven a la petición del viejo maestro, aunque sentía que sus necesidades se iban postergando. Entonces el anciano se quitó el anillo y le dijo: «Mira muchacho, toma el caballo que está afuera, cabalga hasta el mercado y ayúdame a vender este anillo para pagar una deuda. Presta atención, es necesario que obtengas la mayor suma posible. No aceptes menos de una moneda de oro. Vete y regresa con esa moneda lo más rápido que puedas». Y así hizo el joven. Tomó el anillo y partió.

Una vez en el mercado, empezó a ofrecer el anillo a los comerciantes, pero cuando mencionaba que pretendía una moneda de oro por el anillo, algunos se reían y otros lo ignoraban. Solo un anciano se tomó la molestia de explicarle que era un valor muy alto a cambio de esa pieza. Con la intención de ayudarlo, el viejo mercader le ofreció una moneda de plata y un cacharro de cobre. Pero como el joven tenía instrucciones de no aceptar menos de una moneda de oro, rechazó la oferta.

Después de ofrecer la joya a más de cien personas, este hombre terminó abatido por su fracaso. Se montó en el caballo y pensó: «Cuanto hubiese deseado tener la moneda de oro, así podría habérsela entregado al maestro para liberarlo de su preocupación y recibir entonces su consejo».

Cuando regresó a donde el sabio, le dijo: «Maestro, lo siento. No es posible conseguir lo que me pediste. Podría conseguir hasta dos o tres monedas de plata, pero no creo que pueda engañar a nadie respecto al verdadero valor del anillo».

«¡Qué importante lo que dijiste, joven amigo!», dijo el viejo maestro sonriendo. «Tienes razón. Debemos saber primero cuál es el verdadero valor del anillo. Así que ve ante el joyero, ¿quién mejor para saber? Pregúntale cuánto da por él; pero no importa lo que te ofrezca, no se lo vendas. ¡Vuelve aquí con mi anillo!». Entonces el joven volvió a montar el caballo y partió a donde el joyero.

Cuando llegó al lugar, entregó el anillo y el joyero lo examinó con dedicación a la luz del candil, lo miró con su lupa, lo pesó y luego le dijo: «Dile al viejo maestro que, si lo quiere vender, no puedo darle más de 58 monedas de oro». Sorprendido, el joven gritó: «¡58 monedas!».

«Sí, claro», replicó el joyero, «Yo sé que con tiempo podríamos obtener cerca de 70 monedas de oro, pero si lo necesita vender urgente, solo podría darle 58».

Así que el joven corrió emocionado a la casa del maestro para contarle lo que había sucedido. Entonces el sabio maestro le dijo: «Tú eres como ese anillo, muchacho. Una joya única y valiosa que solo puede ser evaluada por un experto. Así que no pretendas que cualquiera descubra tu verdadero valor» (Judd, 2013).

En algún momento de nuestra vida todos nos hemos sentido como ese joven. En nuestro caso, Dios es como aquel joyero de la historia; Él es el experto. Solo Él conoce tu verdadero valor.

En el libro del profeta Isaías dice: «Porque te aprecio, eres de gran valor y yo te amo. Para tenerte a ti y para salvar tu vida entrego hombres y naciones».

¿A quién acudes para conocer tu valor? Recuerda que vales mucho para Dios. Él es el verdadero experto y pagó un precio muy alto por tu salvación. Para nosotros debe ser más importante la estima que Él nos da, más que cualquier otro concepto que puedan tener respecto a quienes somos. Somos tan valiosos a sus ojos que el Salmo 32 declara que su mirada está fija en nosotros.

Dios dice que sus pensamientos para nosotros son de bien y no de mal. Él tiene un plan para ti porque quiere darte «un futuro y una esperanza» (Jeremías 29:11-13). Esta esperanza es para que puedas ver el futuro con optimismo.

Piensa bien de ti, sueña en grande y ora a Dios, porque Él valora la obra de sus manos. No te mires más como un fracasado, no te reconozcas como un derrotado o un incapaz. No veas el futuro con temor, porque Dios te ha asignado un alto valor y tiene los mejores planes para tu vida.

ACCIÓN TRANSFORMADORA

Nro. 44: No te autodestruyas. Conoce tu verdadero valor.

REFLEXIONA Y ACTÚA:

¿Qué piensas de ti mismo?, ¿qué concepto tienes de ti?

_____

_____

_____

_____

¿Quién te está asignando tu valor?, ¿a quién acudes para conocer tu valor?

_____

_____

_____

_____

Existen ciertas palabras que usamos para referirnos a nosotros mismos que nos autodestruyen. ¿Qué palabras sueles usar?

_____

_____

_____

_____

¿Por cuáles las cambiarás?

_____

_____

_____

_____

Devocional 45

Ayuda

Cuenta una historia que cada año se celebraba el concurso para elegir el mejor producto agrícola del pueblo; y el señor Jorge llevaba cinco años consecutivos siendo el ganador de ese certamen. El producto que él cosechaba era el maíz, y este era de una calidad sobresaliente.

Cuando un reportero le preguntó si podía contar el secreto de su maíz, él respondió: «Claro que sí. El secreto está en que comparto la semilla con mis vecinos». El reportero, muy asombrado, le dijo: «Explíqueme por qué razón comparte su mejor semilla con los demás, si ellos también entran en el mismo concurso». Entonces Jorge le explicó lo siguiente: «Lo que sucede es que el viento lleva el polen del maíz maduro de un sembradío a otro. Si mis vecinos cultivan un maíz de baja calidad, la polinización degradaría la calidad del mío. Así que para obtener un buen producto debo ayudar a mis vecinos para que también lo logren» (Lopera & Bernal, 2015).

Nosotros también podemos aplicar ese mismo secreto del agricultor exitoso. Por lo general, solemos esperar a que alguien nos ayude, pero no pensamos en que nosotros podemos bendecir a otras personas. Respecto a esto, el apóstol Pablo dijo que Dios es poderoso para que abunden en nosotros las bendiciones, considerando siempre que en cada aspecto tengamos lo suficiente, no solo para nosotros mismos, sino para que también podamos ayudar con generosidad. (2 Corintios 9:8).

Dios quiere que tengamos más que lo suficiente, que la bendición fluya como un río. Sin embargo, aclara que su propósito es darnos en abundancia para que ayudemos a otros de manera generosa. La Biblia dice que con la medida con que nosotros damos, también recibiremos. El mismo Jesús dijo: «Les aseguro que todo lo que hicieron por uno de mis hermanos, aun por el más pequeño, lo hicieron por mí» (Mateo 25:40). Ayudar a otros es servir como instrumentos del Señor para que otros puedan ser levantados y eso, Él lo recompensará (Proverbios 19:17).

Otra cosa es que a veces pensamos en ayudar solo a quienes pueden devolver esa bendición, pero en realidad nuestro deber es hacerlo de forma desinteresada y sin esperar nada a cambio, solo por la satisfacción de haber sido usados para la transformación de otros.

Recuerda que Dios ve tus acciones y conoce las intenciones de tu corazón, así que en su momento cosecharás. Es por eso que el apóstol Pablo escribió: «No te canses de hacer el bien porque a su tiempo, recibirás la recompensa» (Gálatas 6:9). Cuando estés en momentos de abundancia no olvides a los demás.

Recuerda que cuando ayudas, abres puertas de bendición para tu vida porque siembras al mismo Dios en el corazón de los demás. Y esto no es algo que solo debe ocurrir en las fechas especiales del año. Pregúntate lo siguiente: ¿cómo puedes bendecir a alguien hoy?

Si en este momento te estás cuestionando cómo puedes bendecir a otros, es importante que tengas algo claro: la bendición puede manifestarse de muchas maneras. No siempre se trata de bienes materiales. También es cuando resuelves un problema que está a tu alcance, en el momento en el que brindas un consejo oportuno, entregas un detalle, te tomas el tiempo para escuchar, sirves ante una necesidad, cuando estás presente y hasta cuando ayudas a que alguien más prospere.

En el *Diccionario de la lengua española,* aparecen diferentes definiciones de la palabra bendecir. Una de ellas, que por cierto es la más común, es: «Colmar de bienes a alguien o hacer que prospere». Pero hay otra que a veces consideramos e implementamos poco con las otras personas, y es: «Alabar, engrandecer, ensalzar a alguien». Esto implica manifestar el aprecio y la admiración hacia el otro. Honestamente, lo hacemos muy poco, ¿verdad? Admitamos que a veces nos cuesta reconocer el lugar del otro, así como darle a conocer a muchas personas los méritos que posee, hasta que les elevemos a un alto grado de dignidad. Existen muchas maneras en las cuales podemos bendecir a los demás. Así que sé bendición: extiende tu mano y ayuda.

ACCIÓN TRANSFORMADORA

Nro. 45: Ayuda a quien lo necesite.

REFLEXIONA Y ACTÚA:

¿Qué haces cuando te encuentras en
momentos de abundancia?

_____

_____

_____

_____

Piensa en una persona de tu familia, en un amigo y en alguien
no cercano a ti que esté pasando por un momento difícil. Escribe
sus nombres.

_____

_____

_____

_____

Medita de qué manera puedes bendecir a estas personas para
ayudarlos a levantarse y ser prosperados.

_____

_____

_____

_____

LIDERA
TU FAMILIA

Hasta ahora has aprendido que solo puedes dar de lo que realmente eres, de lo que abunda en tu corazón. Ahora que ya estás sano tanto espiritual como emocionalmente, has empezado a ver algunos cambios en tu vida que te permiten ayudar a otros. Hay que preparar la tierra para sembrar la semilla; tú eres la tierra y ya estás listo para sembrar valores y principios que estructuren una familia sana. ¡Prepárate para liderar su crecimiento!

Devocional 46
Fortalece lazos familiares

No existen familias perfectas, pero sí es posible tener familias saludables, que a pesar de las diferencias se fortalecen a través del amor, el respeto y la confianza mutua. Una familia sana es aquella que se perdona y cura las heridas a tiempo. El apóstol Pedro nos da un buen consejo al respecto: «Vivan todos ustedes en armonía, unidos en un mismo sentir y amándose como hermanos. Sean bondadosos y humildes. No devuelvan mal por mal ni insulto por insulto. Al contrario, devuelvan bendición, pues Dios los ha llamado a recibir bendición» (1 Pedro 3:8-9).

A través de este pasaje, Pedro nos presenta cinco claves que nos guiarán a fortalecer los lazos que nos mantienen unidos como familia. **La primera es vivir en armonía.** En el *Diccionario de la lengua española* encontramos la definición de esta palabra, que incluye su significado en el campo musical, que la concibe como la unión y combinación de sonidos simultáneos y diferentes, pero acordes.

¡Esta es una definición muy interesante! Si te fijas bien, la armonía no implica la ausencia de diferencias; al contrario, es la combinación de todas ellas la que genera una bella pieza que termina produciendo un sonido placentero cuando esa diversidad de tonos se acopla.

Para lograr esa armonía hay que conocer muy bien a cada instrumento. Lo mismo pasa en la familia: es necesario conocer a cada uno de sus miembros, con sus defectos y sus virtudes, para lograr establecer acuerdos que nos permitan convivir armónicamente.

La segunda clave es estar unidos en un mismo sentir, de esta manera es posible superar los retos juntos. Cuando alguno de los miembros de la familia enfrente cualquier adversidad, todos estarán allí listos para ayudar a levantar a quien lo necesite, porque todos comparten un mismo propósito. En una familia no podemos ser indiferentes ante el dolor o los triunfos de quienes la conforman. La Biblia nos habla que somos un solo cuerpo y cuando «un miembro padece, todos los miembros se duelen con él, y si un miembro recibe honra, todos los miembros con él se gozan» (1 Corintios 12:26).

La tercera clave es amarnos como hermanos. El amor es el que media ante cualquier conflicto. Todas las familias tienen conflictos que deben enfrentar y resolver, pero solo este «vínculo perfecto» tiene el poder suficiente para superar cualquier situación, llevándonos a escuchar, a comprender, a corregir, a perdonar, a levantar y a continuar.

La cuarta es ser bondadosos. En muchas ocasiones manifestamos bondad con personas distintas a nuestra propia familia, y resulta que nuestra pareja e hijos no conocen ese lado afable y apacible. La bondad implica hacer lo bueno y tener un trato agradable hacia el otro. Como dice Pedro, devolver bendición a cada uno. Piensa en esto: ¿de qué manera estás siendo de bendición para tu familia?

La quinta clave es ser humildes. La humildad tiene que ver con la virtud de reconocer nuestros errores ante los demás. Esta nos permite estar en la capacidad de dialogar y de escuchar al otro y, en consecuencia, como dice el apóstol Pedro, no devolveremos mal por mal, ni insulto por insulto.

La familia es un equipo y como tal hay que mantenerlo avivado, unido y sano. Para ello debemos fomentar el amor, la bondad, la humildad. Construyamos un mismo sentir a pesar de las diferencias y vivamos en armonía con todos. Permitamos que Dios sea el centro de nuestras casas y fortalezcamos los vínculos familiares para que no se rompa el lazo que nos une.

ACCIÓN TRANSFORMADORA

Nro. 46: Fortalece tu familia a través del amor, la bondad, la humildad.

REFLEXIONA Y ACTÚA:

¿Cómo se encuentra tu familia hoy?

_____

_____

_____

_____

¿Cómo describes la relación que han construido?

_____

_____

_____

_____

¿Cómo puedes fortalecer los lazos familiares?

_____

_____

_____

_____

¿De qué manera puedes ser de bendición para tu familia?

_____

_____

_____

_____

Devocional 47
Comunícate con el corazón

En la reunión de padres de familia de una escuela, la directora resaltaba la importancia del apoyo que los padres deben darle a sus hijos. Ella entendía que los padres eran trabajadores. Sin embargo, insistía en la importancia de encontrar un poco de tiempo para dedicárselo a sus niños.

En ese momento, uno de los padres se levantó y explicó ante todos los participantes que él no tenía tiempo durante la semana. Todos los días salía a trabajar muy temprano, y cuando regresaba del trabajo ya era muy tarde. En consecuencia, su hijo lo veía poco porque estaba dormido. Dijo que tenía que trabajar de esa manera para lograr proveer el sustento de su familia, pero aclaró que esta situación le generaba angustia, porque no tenía tiempo. Por esta razón, todos los días se tomaba un instante para darle un beso y hacer un nudo en la punta de la sábana, de esta manera, cada vez que el niño despertaba, sabía que su papá había estado allí.

El resto de los participantes estaban sorprendidos; entonces, aquel padre continuó: «ese nudo es el medio de comunicación entre nosotros». La directora se emocionó con aquella historia, pero lo que más la impresionó fue comprobar que el hijo de aquel hombre era uno de los mejores alumnos de la escuela (Rittner, 2006).

Esta historia es hermosa porque nos demuestra que el amor tiene muchas maneras de comunicarse. Sin duda alguna, este padre amaba a su hijo y quería demostrárselo encontrando un símbolo que representara su amor de manera creativa: lo hizo a través de un beso y un nudo, que le hacía saber que él siempre estaba allí.

¿Qué podemos aprender tú y yo de esta historia? En definitiva, la gran lección escondida tras este maravilloso relato es el valor de la comunicación en nuestra familia.

Probablemente pienses: «yo siempre estoy hablando en casa». Pero ¿te has preguntado qué estás comunicándole a los tuyos? Por lo general, en casa solemos hablar sobre las necesidades que tenemos, las normas que se deben cumplir, las anécdotas del día y los sentimientos que nos generan; pero olvidamos comunicar lo más importante: el amor que sentimos.

Si buscamos el mejor ejemplo de esto, debemos ver a Jesús. Él nos amó y nos comunicó ese amor al no estimar el ser igual a Dios como algo a qué aferrarse, y se despojó de sí mismo tomando forma humana y sacrificando su vida por nuestra salvación (Filipenses 2:6-11).

Él expresó su amor con hechos, es por eso que nos pide hacer lo mismo por los demás (1 Juan 4:12). Jesús vio nuestra condición y se acercó; no fue indiferente al problema espiritual que teníamos. Sin ser culpable, se sacrificó por nosotros para reparar el daño y acercarnos al Padre.

Cuando algún miembro de tu familia no está bien por la razón que sea, siendo culpable o no, ¿cómo lo ves y cómo lo tratas?, ¿lo haces con amor? Jesús nos invita a hacer nuestra la necesidad del otro. No seas indiferente, acércate. Él se puso en nuestro lugar; no solo se acercó, sino que se bajó de su trono de gloria para hacerse igual a nosotros.

Jesús mostró su amor compasivo, y podemos analizar esto a través de tres ejemplos: primero con la mujer adúltera, a quién no juzgo, sino que levantó y restauró. El segundo ejemplo fue cuando alimentó a aquella multitud hambrienta. El tercer y último ejemplo lo encontramos con su madre. Estando en la cruz con todo el dolor que estaba viviendo, herido y azotado, a punto de morir, la vio, se compadeció de ella y le pidió a Juan que se encargara de ella.

La compasión te lleva a actuar. Jesús perdonó nuestros pecados y nos hizo libres, porque ese es el poder del perdón. La Biblia dice: «Sean tolerantes los unos con los otros, y si alguien tiene alguna queja contra otro, perdónense, así como el Señor los ha perdonado a ustedes» (Colosenses 3:13). Él nos demostró su amor perdonándonos.

En muchas familias hay casos de miembros que han dejado de hablarse por años. Hoy existen tantas relaciones entre padres e hijos que están quebrantadas, hermanos que se encuentran distanciados por historias dolorosas. Aprende a demostrar tu amor a través del perdón, como lo hizo Jesús. Pero ten en cuenta que cuando seas tú quien lo recibas, la respuesta debe ser un cambio de actitud. Perdona y corresponde al perdón que recibes de quienes amas.

Jesús nos amó y se interesó en demostrarlo, en hacérnoslo saber. Aprendamos de él, comunícate con el corazón y exprésale a tu familia cuánto los amas. Recuerda que este es un regalo de Dios de incalculable valor. Puedes comunicar tu amor cuando te detienes a observar al otro, te acercas, te pones en su lugar, te compadeces y perdonas.

ACCIÓN TRANSFORMADORA

Nro. 47: Exprésale a tu familia cuánto los amas.

REFLEXIONA Y ACTÚA:

¿Cómo está la comunicación en casa?

_____
_____
_____
_____

¿Le has expresado a tu familia tus sentimientos hacia ellos?

_____
_____
_____
_____

¿Les has dicho que los amas?

Tu familia necesita saber que tú los amas cuando realizas acciones concretas, cuando te acercas a ellos y te pones en su lugar. Piensa por un momento cómo vas comunicar tu amor con cada una de las personas de tu familia.

_____
_____
_____
_____

Devocional 48
Aprende a escuchar

El arte de saber escuchar es clave para una buena comunicación, y esta a su vez es fundamental para construir familias sanas. Digo esto, porque es una cualidad que nos ayuda a manejar los conflictos y a mantenernos unidos y estables.

Muchas veces asociamos la comunicación a la simple acción de hablar, como el derecho que tenemos de expresarnos. Pero olvidamos que una comunicación exitosa requiere también de saber escuchar, y esto implica detenerse para comprender las emociones y los sentimientos de la otra persona. En la Biblia se nos aconseja aprender a escuchar: «Todo hombre sea pronto para oír, tardo para hablar» (Santiago 1:19).

Para aprender esta extraordinaria cualidad, estudiemos cinco claves para lograr una buena escucha.

1. **Elimina las distracciones:** si vas a entablar una conexión con alguien, aleja todo aquello que no te permita centrar tu atención en él o ella. Busca un lugar tranquilo, apaga el televisor, aparta el celular y dedica tiempo a la persona que te necesita.

2. **Elimina el orgullo:** nuestras ocupaciones a veces nos llevan a pensar que escuchar a un hijo, a la pareja o a nuestros padres, es algo que nos quitará tiempo. Pensamos que somos nosotros quienes debemos ser escuchados y no les permitimos a los demás hablar. Somos demasiado orgullosos y creemos que los demás no tienen nada importante que decirnos.

3. **No te tomes nada personal:** no pienses que las personas te están atacando, porque no siempre es así. La mayoría de las veces en las que las personas hablan, es porque están cargadas de muchas situaciones que no están necesariamente relacionadas contigo. No actúes a la defensiva, primero detente a escuchar.

4. **No respondas sin antes escuchar bien a la otra persona:** generalmente, cuando entablamos una comunicación, sacamos conclusiones cuando la otra persona ni siquiera ha terminado de hablar. Te confieso que esto es algo con lo que yo he luchado mucho, así que sé muy bien lo desafiante que es cambiar esto. La Biblia nos habla sobre la importancia de detenerse a escuchar. Un proverbio dice que es de necios y vergonzoso hablar o responder sin antes escuchar (Proverbios 18:13). Cuando interrumpimos al otro, es porque no estamos escuchándole mientras habla, sino que estamos pensando qué responderle, debido a que creemos saber cuál es su intención.

5. **Escucha con el propósito y la intención de comprender al otro:** quizá no te has dado cuenta, pero en casa, lo que muchos necesitan es ser escuchados. Esta simple acción puede minimizar la mayoría de las situaciones que están enfrentando. Cuando estamos comunicándonos con otra persona necesitamos comprender qué sucede, cuáles son los motivos que causan la situación, qué piensa, qué siente y porqué insiste en actuar así. Cuando hagas esto, te sorprenderá darte cuenta que, aunque los hechos puedan ser reprochables, hay motivos muy fuertes que necesitas conocer para apoyar al otro a enfrentar su situación. Y aclaro que con esto no hablo de permisividad, sino de escuchar comprensivamente;

de esta manera identificaremos la raíz del problema, y con ello la posibilidad de sacar lecciones de vida más profundas y trascendentales, más que un simple reproche o acusación.

Nuestra familia es muy importante, por eso debemos protegerla y, por encima de todo, restaurarla. Pero esto solo será posible en la medida que nos permitamos conocernos mutuamente, y la manera de hacerlo es a través de la escucha. ¡Aprende a escuchar! Elimina todas las barreras que te impiden hacerlo.

ACCIÓN TRANSFORMADORA

Nro. 48: Escucha con el propósito de comprender a quien amas.

REFLEXIONA Y ACTÚA:

Del 1 al 10, ¿cómo evalúas la comunicación en casa?, ¿por qué?

_____
_____
_____
_____

De todas las claves que estudiamos hoy, ¿cuál representa un reto para ti?

_____
_____
_____
_____

¿Qué puedes hacer para eliminar esas barreras y lograr una buena escucha?

_____
_____
_____
_____

Devocional 49
Aprende a pelear

Todos en algún momento hemos tenido diferencias con nuestros familiares. Eso es normal, pero lo que no podemos permitir es que esas diferencias nos lleven a reaccionar de manera agresiva y poner en peligro nuestras relaciones. ¿Quieres salvar tu relación familiar? Entonces es importante que aprendas a pelear. ¡Sí, así es! Debemos saber cómo pelear.

Revisemos qué dice la Biblia al respecto. En el libro de Lucas 11:17 dice «una casa dividida contra sí misma se cae». Es decir, si en casa tenemos discusiones constantes y aparte de ello reaccionamos de manera agresiva, inevitablemente nuestro hogar fracasará. Dios no quiere que convirtamos nuestra familia en un campo de batalla, sino en un refugio donde nos sintamos protegidos. Ahora que sabemos esto, estudiemos cuáles son las acciones claves para aprender a manejar los conflictos en casa.

1. Habla cuando sea prudente: si la otra persona está muy enojada y no está dispuesta a escuchar, entonces no insistamos en hablar porque eso encendería más la hoguera. Conversa cuando sea el momento propicio, de lo contrario serás presa de tus emociones y estas te dominarán. Así lo que haremos es echarle más leña al fuego, entonces las ofensas se incrementarán y las heridas serán más difíciles de sanar.

2. No te vayas a dormir sin resolver el conflicto: en el año 2016, el neurólogo John Siliw dio a conocer los resultados de una de sus investigaciones, en la que descubrió que es un gran error irse a dormir para buscar que los sentimientos de ira y los deseos de venganza desaparezcan, porque eso no sucede. Al contrario, cuando nos vamos a dormir con esas emociones y pensamientos, nuestro cerebro empieza a reorganizar toda la información del día, lo cual hace que todos esos hechos negativos que guardamos sean más difíciles de superar en el futuro. Y es que hace más de dos mil años el apóstol Pablo lo mencionó en una de sus cartas de la siguiente manera: «Enójense, pero no pequen; no se ponga el sol sobre su enojo» (Efesios 4:26). Así que no debemos permitir que el día termine sin haber resuelto las situaciones que hayan generado conflicto. Si dejamos que pase el tiempo, le estaremos permitiendo al enemigo que se apodere de nuestra vida y de nuestra familia. Resuelve todo problema con tu familia antes de dormir.

3. Cierra la bodega de tu mente y de tu corazón: ¿para qué sirve una bodega? Esta es útil para guardar, almacenar, y en ocasiones para acumular, cientos de objetos. En la vida de pareja manejamos muchas situaciones que vamos resolviendo y que debemos soltar para poder continuar; pero en realidad estamos acostumbrados a guardar ese recuerdo «para después» en el «memorial de agravios». La Biblia dice que no nos acordemos de las cosas pasadas, ni traigamos a memoria las cosas antiguas. Si perdonaste a tu pareja u otro familiar, no sumes ese recuerdo a nuevas conversaciones, y si fuiste tú el que cometió el error, pues no sigas haciendo daño. Solo atesora aquello que edifica a tu familia.

Una familia sana aprende a manejar los conflictos y se convierte en un refugio para cada uno de sus miembros, un lugar donde encuentren amor, respeto, seguridad, protección y confianza. Un buen hogar se construye con sabiduría y se afirma con la inteligencia (Proverbios 24:3).

ACCIÓN TRANSFORMADORA

Nro. 49: Maneja los conflictos con sabiduría. No dejes que el tiempo incremente las heridas.

REFLEXIONA Y ACTÚA:

¿Cómo puedes evitar que tu casa se convierta en un campo de batalla?

_____

_____

_____

_____

¿Qué puedes hacer para que tu hogar se convierta en el refugio para todos?

_____

_____

_____

_____

Reúne a tu familia y comparte estas claves como reglas de oro: hablar en el momento oportuno, no irse a dormir sin resolver el conflicto y no recordar situaciones que ya han sido resueltas. ¿A qué acuerdos llegaron?

_____

_____

_____

_____

¿Qué otras situaciones identificaste en esta conversación?

_____

_____

_____

_____

Devocional 50
Aprende a entender

Cuenta una anécdota que había un hombre que se quejaba todos los días diciendo: «Dios mío, ten compasión de mí. Mira que trabajo muy duro, en cambio mi mujer se queda muy tranquila en casa. Señor, yo daría cualquier cosa para que hicieras un milagro y nos cambiaras de lugar, así ella se daría cuenta de todo lo que hago». Y así fue, Dios lo escuchó y le concedió el milagro por 24 horas.

Al día siguiente, el hombre amaneció convertido en la esposa, aunque tenía la consciencia de quien realmente era. Se levantó al sonar la alarma y corrió a alistar a los muchachos para ir a la escuela; preparó el desayuno, lavó la ropa, sacó la carne del congelador para el mediodía y salió de prisa para llevar a sus hijos al colegio. De vuelta pasó por la gasolinera para cambiar un cheque y así poder pagar los recibos, después fue recoger los trajes que estaban en la tintorería y luego fue al supermercado.

Cuando ya el reloj marcaba la una de la tarde, los cuartos estaban sin organizar. Entonces tendió las camas, sacó la ropa húmeda de la lavadora, aspiró la casa, preparó el almuerzo y salió de nuevo a la escuela. Cuando los niños ya estaban en casa, revisó sus cuadernos, los apoyó con las tareas y les dio de comer. Luego lavó los platos, los uniformes, planchó la ropa, y mientras aún estaba en sus faenas, se percató de que se acercaba la hora de la cena.

Se hicieron las nueve de la noche y sentía un agotamiento abrumador; lo único que deseaba era dormir. Pero justo en ese momento llegó el esposo esperando que se le atendiera. Así que tuvo que sacar fuerzas de donde ya no tenía y lo hizo. Más tarde en la noche, volvió a clamar a Dios y le dijo: «Señor, la verdad no sé en qué estaba pensando cuando te supliqué que me cambiaras por mi esposa. Te ruego Señor que me regreses a mi estado normal». Entonces oyó la amorosa respuesta de Dios: «Claro que sí, hijo. Solo quería que entendieras un poco a tu esposa y vivieras un día como ella. Pero tenemos un problema; deberás esperar nueve meses, porque anoche quedaste embarazada» (Castellanos, 2012).

Esta divertida historia nos ilustra la importancia de ponernos en el lugar del otro para comprenderlo. Y es que precisamente, uno de los grandes problemas de la sociedad actual es la falta de empatía.

Cuando hablamos de empatía nos referimos a la capacidad de identificarnos con alguien y compartir sus sentimientos; es ponernos en la piel del otro y entender desde su perspectiva lo que está sintiendo. La Biblia nos habla de esta cualidad a través de una historia maravillosa, protagonizada por la compasión.

En cierta ocasión, un maestro de la Ley se acercó a Jesús y le preguntó quién era su prójimo. En respuesta, el Señor le relató una parábola que contaba la historia de un hombre que cayó en manos de unos ladrones, quienes le robaron todo lo que tenía, incluso su ropa. No contentos con despojarlo de sus pertenencias, lo golpearon y luego se marcharon dejándolo moribundo. Horas después, un sacerdote pasó por el mismo camino donde estaba tirado aquel hombre; el religioso lo vio allí mal herido, pero lo ignoró y siguió su camino. Luego, apareció un levita, quien hizo lo mismo que el primero.

Por último, un tercer hombre pasó por allí; se trataba de un samaritano. Resulta ser que los habitantes de Samaria y los de Jerusalén eran enemigos. Pero este viajero, a diferencia de los dos anteriores, cuando vio al moribundo, tuvo compasión de él. Entonces se acercó, le curó las heridas con aceite y vino, y luego las vendó. Después lo montó sobre el animal que traía, es decir que le tocó bajarse y montar al hombre que no podía caminar. Se incomodó para darle comodidad a otro que realmente lo necesitaba. Así lo condujo a una posada, y se encargó de que lo cuidaran, pagando todos los gastos.

Cuando Jesús terminó de contar la parábola, le pregunta al maestro de la Ley: «De los tres, ¿quién piensas que se comportó como un buen prójimo?». Aquel hombre le contestó: «Pues, el que se mostró compasivo». Entonces, el Señor le respondió: «Ve y haz tú lo mismo» (Lucas 10:25-37).

En este caso no solo se trataba de entender el sufrimiento físico, sino el dolor emocional que estaba experimentando este hombre. El samaritano sintió el dolor del otro, se puso en su lugar y la empatía lo impulsó a actuar.

Para lograr despertar la empatía como líderes de nuestra familia debemos estar prestos a observar y a escuchar con atención para percibir si alguna situación está ocurriendo y de esta manera actuar con prontitud. En muchas ocasiones pasamos por alto las oportunidades que tenemos para mitigar o minimizar el sufrimiento que puede estar enfrentando nuestra familia.

La empatía nos lleva a identificar el sentimiento del otro y reaccionar de manera práctica y oportuna. Aprender a entender al otro es más que hablar; se trata de actuar con bondad y misericordia.

ACCIÓN TRANSFORMADORA

Nro. 50: Ponte en el lugar del otro y comprende lo que siente antes de juzgarlo.

REFLEXIONA Y ACTÚA:

Para ir desarrollando la empatía, piensa en una situación que esté atravesando alguien de tu familia y pregúntate: si yo me encontrara en esa situación, ¿cómo me sentiría?

_____

_____

_____

_____

¿Qué necesitaría?

_____

_____

_____

_____

¿Qué esperaría que hicieran por mí?

_____

_____

_____

_____

¿Eres considerado con tu familia?

_____

_____

_____

_____

¿Valoras lo que cada uno hace?

_____

_____

_____

_____

¿Correspondes al esfuerzo de los demás?

_____

_____

_____

_____

¿Con quién sueles tener mayor diferencia en casa?

_____

_____

_____

_____

Trata de escuchar a esa persona y descubre qué sucede. Ahora que lo sabes, cómo crees que puede resolverse esta situación. ¿Hay algo que tú puedas hacer?

_____

_____

_____

_____

Devocional 51
Aprende a invertir

Te voy a contar una interesante historia que nos habla sobre la importancia de invertir. En cierta ocasión un hombre le regaló una vaca a cada uno de sus dos hijos. Uno de ellos la crio y luego la mató para vender su carne, mientras que el otro esperó a que tuviera crías y abrió un negocio de venta de leche. Al cabo de los años, los hermanos volvieron a encontrarse. El primero ya no tenía dinero de aquel regalo de su padre, pero el otro continuaba con su negocio. Incluso había logrado suficientes ingresos y compró nuevas vacas. Es más, tenía su propia granja y su negocio seguía creciendo (Rocha, sf).

Cuando hablamos de inversiones, no podemos limitarnos solo a las que son de carácter financiero. También debemos tomar en cuenta lo que sembramos en aquellas personas que Dios puso en nuestras manos, es decir, nuestra familia.

La familia es un regalo de Dios y nuestra responsabilidad es protegerla. Para ello, debemos invertir no solo dinero, sino también tiempo y palabras. El primero es útil para poder desarrollar actividades juntos que se conviertan en experiencias y buenos recuerdos familiares; mientras que el segundo, determina las semillas que serán sembradas en sus corazones y que refuercen su seguridad.

El apóstol Pablo le dio el siguiente consejo a Timoteo: «Pues, quien no se preocupa de los suyos, y sobre todo de los de su propia familia, ha negado la fe y es peor que los que no creen» (1 Timoteo 5:8). En otras palabras, la familia es el bien más preciado que una persona puede tener.

El escritor Rick Warren, en su libro *Una vida con propósito*, dice: «El amor se deletrea así: ti-em-po». Esto quiere decir que amar a alguien implica dejar huella en las personas que amamos, plasmar experiencias en su memoria que puedan acompañarlos durante toda su vida, y esas vivencias implican tiempo. Cuando perdemos algo material sabemos que por más difícil que sea, podremos recuperarlo, pero el tiempo que desperdiciamos ¡jamás!

Sabemos que si trabajamos obtendremos dinero, pero el tiempo, ¿dónde se obtiene? Este es un regalo que requiere una buena administración, para poder ocuparlo en lo que realmente es importante para nosotros.

No podemos conformarnos con tener buenas intenciones, sin dedicar espacios para expresar nuestro amor. Es necesario realizar hechos concretos para demostrarlo, y la mejor manera de hacerlo es manifestarle a nuestra familia que pese a nuestras ocupaciones, hay un tiempo especial para ellos, que es igual o incluso más importante que cualquier otro evento de nuestra agenda.

Aprende a invertir en tu familia. Rompe con la rutina y haz algo que agregue valor a tus seres queridos; porque cuando regalas tiempo, estás dando tu mejor activo.

En cuanto a las palabras, se habla muy poco sobre la manera en que las invertimos en las personas. Pero esto es muy importante, porque si analizas tu vida, te darás cuenta de que aquello que nos dicen queda grabado en nuestro corazón, y lamentablemente no siempre son palabras que construyen.

Cada palabra que usamos para dirigirnos a nuestra familia impactará en ellos, porque estas se establecen en su memoria, y son lo primero que saldrá a flote en los momentos más difíciles, porque su mente les mandará la información que tienen guardada. Lo más importante es que de ello dependerán las decisiones que tomen.

¿Crees que es igual decirle a alguien «eres capaz», que «todo te sale mal»? Las palabras hieren o sanan, maldicen o bendicen, levantan o hunden, te rescatan o te matan. Ellas son una muy buena fuente de inversión porque te ayudan a crear patrones de seguridad, emprendimiento, valor, capacidad de lucha, entre muchas otras cualidades en tu familia. Las palabras que atesoramos durante la vida son el impulso de lo que hacemos hoy.

Además del tiempo y las palabras, es importante invertir recursos generosamente en tu familia. Alguien dijo que el dinero es un siervo maravilloso, pero es un amo terrible. Si lo pones por encima de ti, te vas a convertir en su esclavo. John Maxwell en su libro *Vivir intencionalmente* dice lo siguiente: «Hagamos del dinero un recurso para lograr cosas de valor», es decir, obtener algo realmente importante. Ahora te pregunto ¿tu familia es importante para ti?

Invierte tiempo, palabras y recursos en tu familia; bendice a los tuyos. No es casualidad que el primer mandamiento con promesa sea «Honra a tu padre y a tu madre, para que tus días se alarguen en la tierra que Jehová tu Dios te da» (Éxodo 20:12). Honra a los tuyos, invierte en ellos y obtendrás las mejores ganancias.

ACCIÓN TRANSFORMADORA

Nro. 51: Dedica tiempo, recursos y palabras
a tu familia. Invierte en los que amas.

REFLEXIONA Y ACTÚA:

¿Inviertes en tu familia?

_____
_____
_____
_____

¿Qué tipo de inversiones haces en ellos?

_____
_____
_____
_____

¿Cómo conservas tu relación con tu pareja,
tus hijos, tus padres y tus hermanos?

_____
_____
_____
_____

¡Es hora de invertir! Piensa de qué manera puedes
sorprender a los tuyos e invierte en ellos.

_____
_____
_____
_____

Devocional 52
Reconoce las virtudes del otro

Quiero que leas conmigo esta historia llamada *La asamblea de la carpintería*:

Cuentan que, en una ocasión, dentro de una carpintería, hubo una reunión de herramientas con el fin de arreglar sus diferencias. El martillo presidió la asamblea, pero los otros miembros le notificaron que debía renunciar, porque según ellos, él hacía demasiado ruido y golpeaba todo el tiempo.

El martillo aceptó su culpa, pero pidió que también fuera expulsado el tornillo, porque para que sirviera de algo era necesario darle muchas vueltas. Ante semejante ataque, el tornillo aceptó también, pero pidió la expulsión de la lija. Él hizo ver que ella era muy áspera en su trato y siempre tenía fricciones con los demás.

La lija estuvo de acuerdo, con la única condición que también fuera expulsado el metro, quien siempre se la pasaba midiendo a los demás como si él fuera el único perfecto.

En medio de aquella acalorada discusión, entró el carpintero. Tomó un trozo de madera, se puso el delantal e inició su trabajo utilizando cada una de sus herramientas: el martillo, la lija, el metro y el tornillo. Finalmente, la tosca madera se convirtió en un lindo mueble.

Cuando la carpintería quedó nuevamente sola, la asamblea reanudó su sesión. Entonces, el serrucho tomó la palabra y dijo: «Señores, ha quedado demostrado que todos tenemos defectos; sin embargo, cuando el carpintero trabaja, lo hace con nuestras cualidades. Así que no pensemos ya más en nuestros aspectos negativos y concentrémonos en la utilidad de los positivos».

Después de esas sabias palabras, la asamblea encontró que el martillo era fuerte, el tornillo unía y daba fuerza, la lija era especial para afinar y limar asperezas, y el metro era preciso y exacto. Entonces se sintieron un equipo capaz de producir muebles de calidad, y se sintieron orgullosos de sus fortalezas, así como de trabajar juntos (Parra & Madero, 2004).

¿No te parece una anécdota conocida? Podríamos decir que en más de una ocasión hemos sido como esa asamblea, y que al igual que en la narración solo vemos los defectos y no las virtudes de las demás personas.

Una manera de crear armonía en casa es aprendiendo a valorar las características positivas del otro. Y esa valoración no debe demostrarse solo con palabras, sino también con hechos. Siempre necesitamos sentirnos recompensados por lo que hacemos.

Celebremos juntos en familia los triunfos de los demás, así como lo hacemos con el gol o con la victoria de nuestro equipo favorito. Así actúa Dios con nosotros, cuando hacemos las cosas bien, Él nos recompensa.

En Romanos 2:6 dice que Dios pagará a cada uno según lo merezcan sus obras. Así que no nos cansemos de hacer lo bueno «porque a su tiempo Dios nos dará la recompensa» (Gálatas 6:9). Sí, es cierto que hay momentos en nuestra familia que son muy difíciles y llenos de tensiones; y que por más que insistimos en arreglar las cosas, todo sigue igual. Pero ¡anímate! ¡No te des por vencido!

¿Recuerdas la parábola de los talentos? Bueno, Dios te ha entregado una familia, ¿qué le presentarás?, ¿en qué condiciones la entregarás? Valora a las personas que tienes en tus manos, cuídalas, hazlas crecer, fortalécelas; reconoce las virtudes del otro y celebra sus logros.

El reconocimiento alegra el corazón de nuestra familia. Un ejemplo de la importancia de esto lo vemos en Jesús, quien elogió públicamente a la mujer que regó el perfume sobre sus pies. Y no solo eso, también dijo que siempre se hablaría de ella en todas las generaciones, ¡y así es! Jesús no escatimó en admirar a esta mujer y darle un lugar de importancia por la acción que realizó.

Recuerda: felicita a los tuyos y agradéceles por sus buenas acciones; motívalos a avanzar, a esforzarse y a ser mejores. Reconoce el esfuerzo y aprende a reconocer sus virtudes. Y si hasta ahora solo te has dedicado a criticarlos, es hora de conversar.

ACCIÓN TRANSFORMADORA

Nro. 52: Reconoce las fortalezas que hay en tu familia; valora su esfuerzo.

REFLEXIONA Y ACTÚA:

¿Qué virtudes destacas de cada uno de los miembros de tu familia?

_____

_____

_____

_____

¿Tu familia sabe qué valoras de ellos o te lo has guardado para ti? Saca tiempo para decirle a tu familia las virtudes que tiene cada uno.

El carpintero a partir de las diferencias de todas las herramientas construyó un lindo mueble, ¿qué quieres construir con tu familia y cómo te propones lograr este propósito?

_____

_____

_____

_____

Devocional 53
Conviértete en un reparador

Había una vez un joven que tenía muy mal carácter. Cierto día su padre le dio una bolsa de clavos y le dijo que cada vez que perdiera la calma tendría que clavar uno detrás de la puerta.

Nada más el primer día el muchacho clavó treinta y siete clavos. Pero poco a poco fue controlando su ira, porque descubrió que era mucho más fácil dominar su carácter que colocar clavos en la puerta. Finalmente, llegó el día cuando el muchacho no perdió la calma ante una situación incómoda y se lo dijo a su padre.

Entonces, el papá le dijo que por cada día en el que controlara su carácter, tendría que sacar un clavo de la puerta. Los días pasaron y el joven finalmente logró sacar todos los clavos. Eso lo puso muy contento. Cuando su padre vio lo sucedido, lo llevó de la mano para mirar la puerta y le dijo: «Hijo, ¡lo has logrado! ¡Lo has hecho muy bien! Pero ahora quiero que te fijes en todos los agujeros que quedaron allí. Ya la puerta no será la misma de antes. Así mismo ocurre cuando dices o haces cosas con ira; dejas cicatrices en las personas como estos agujeros en la puerta. No importa cuántas veces pidas disculpas, la marca sigue ahí» (Ed. Sista, 2011).

Cuando herimos verbalmente a alguien, producimos un daño igual de grave que cuando lo hacemos de forma física; causa el mismo daño. Esta historia nos ilustra cuán perjudicial puede ser una ofensa y cuánto daño puede ocasionar.

Cada ofensa que producimos es como una grieta, que si no se repara a tiempo podría echar a perder toda la casa. Estas van acumulándose y cada daño que hacemos logra endurecer más el corazón de la persona hasta llegar a un punto en el que será muy difícil sanar la herida.

Recuerda que los amigos y la familia son verdaderas joyas a quienes debemos valorar. La Biblia dice que «restaurar la amistad de un amigo ofendido es más difícil que conquistar una ciudad amurallada. Los pleitos alejan las amistades como si fueran las rejas de las puertas de un palacio» (Proverbios 18:19). En otra versión de este mismo texto dice que es más fácil derribar un muro que calmar a un amigo ofendido.

Así que cuidemos las palabras que a veces lanzamos de forma apresurada contra las personas que nos rodean, porque a veces no medimos el gran daño que les causamos.

Ahora bien, si ya hemos ofendido y hemos causado algún daño, la solución es reparar. No debemos acostumbrarnos a ofender y seguir como si nada hubiese pasado. En el caso de haber lastimado a alguien, entonces mejor reparemos la herida que causamos.

Dios dice que aprendamos a hacer el bien, a buscar el juicio y a restituir al agraviado (Isaías 1:17). La única manera de reparar a una persona a la que hemos ofendido es arrepintiéndonos de corazón y en acciones por el daño ocasionado.

Así que, si queremos reparar, es necesario arrepentirnos y empezar a trabajar en una transformación genuina para no terminar destruyendo las relaciones familiares. Esto también incluye sanar al otro para enmendar el daño. Pregúntale a tu pareja, a tus hijos, a tus padres y hermanos, qué puedes hacer para curar las heridas ocasionadas por ti. No te conformes solo con un arrepentimiento interno, con hermosas palabras, regalos materiales o lágrimas, ¡debes actuar! Reparar a través de acciones coherentes con el hecho.

Si lo que has perdido es la confianza ¿cómo la piensas recuperar? Si has tomado algo que no te pertenece ¡devuélvelo! Si has difamado o hablado mal de alguien, dañando su imagen ante otro, reparar incluye devolverle la honra a esa persona.

Enmendar algo también incluye asumir la responsabilidad de las consecuencias de nuestro pecado.

Una familia sana enfrenta las situaciones que se presentan, no las ignora. Omitir solo genera un cúmulo de dolor que nos va distanciando poco a poco, hasta deteriorar los sentimientos que nos unen. Ante una ofensa, es importante hablar de la situación, reparar, sanar, enmendar a tiempo. Es lo mejor que puedes hacer para proteger la relación familiar. Recuerda que la familia es una gran red que debe permanecer lista para protegernos los unos a los otros.

ACCIÓN TRANSFORMADORA

Nro. 53: Si has ofendido a tu familia enfrenta la situación, arrepiéntete y repara el daño.

REFLEXIONA Y ACTÚA:

¿Sueles ofender a tu familia?

_____
_____
_____
_____

¿Por qué crees que sucede?

_____
_____
_____
_____

¿Has reparado a las personas que has ofendido?

_____
_____
_____
_____

¿Cómo lo has hecho?

_____
_____
_____
_____

¿Hay en tu familia heridas de mucho tiempo que han quedado sin sanar?

Enfréntalas con sabiduría y encuentren como familia la manera de restaurar la relación a través del amor y el perdón.

_____

_____

_____

_____

LIDERA TU VIDA

Dios te dio una familia para que la lideraras con responsabilidad, y si en el camino de tu vida has enfrentado situaciones familiares llenas de dolor, ya has aprendido que puedes romper esas cadenas que los atan a través del amor y el perdón. Pero Dios también quiere que les dejes una herencia a tus hijos. Para lograrlo, te concedió dones, talentos y capacidades excepcionales que te permitirán construir un futuro de abundancia para ti y los tuyos. ¿Estás dispuesto? ¡Prepárate para liderar un cambio de vida!

Devocional 54
Haz un inventario

A veces cuando vamos a un almacén nos encontramos con un cartel que contiene el siguiente mensaje: cerrado por inventario. Puede molestarnos un poco, pero por si no lo sabías, este es un momento muy importante para la empresa porque hace una pausa para dedicarse a hacer el balance de lo que tiene.

Hacer un inventario protege a la empresa de una quiebra, puesto que gracias a este se identifican qué productos se venden más que otros, para así contar con las existencias suficientes para la comercialización.

Así como en las tiendas y almacenes, también es importante que en nuestra vida hagamos una pausa para hacer un balance. Solo cuando nos detenemos a reflexionar sobre nosotros mismos es que podemos descubrir qué cambios debemos realizar para tomar decisiones a tiempo.

Esta es precisamente la invitación que nos hace la Biblia a través del apóstol Pablo, quien nos dice que debemos tener mucho cuidado de cómo nos comportamos y nos invita a vivir con sabiduría porque estamos en una época llena de maldad (Efesios 5:15-16).

Para realizar ese balance debemos conocernos muy bien y ser reflexivos para no detener nuestro crecimiento. De esta manera empezaremos a liderar con sabiduría nuestra propia vida. Empecemos con nuestro inventario personal, respondiendo estas ocho preguntas:

1. ¿Qué te hace sentir satisfecho? Piensa por un momento cuáles son las cosas que te hacen sentir que la vida vale la pena.

2. ¿Qué es lo que haces bien? Reflexiona respecto a las cosas en las que eres realmente bueno. Cuando otras personas se refieren a ti, ¿en qué te destacas?

3. ¿Cómo puedes ayudar a los demás? Recuerda que ayudar a otros contribuye a nuestro crecimiento personal. Medita en aquello que sabes hacer muy bien e identifica cómo puedes influenciar a otras personas.

4. Frente a los objetivos que te has trazado para tu vida, ¿qué necesitas aprender a hacer?, ¿en qué necesitas capacitarte para mejorar aquello que haces bien, de tal manera que tu preparación te acerque a alcanzar tus metas?

5. ¿Cuáles dones, talentos, capacidades o recursos ha puesto Dios en tus manos? Todos hemos sido dotados de una habilidad especial. Reflexiona si la estás usando y si la estás aprovechando al máximo.

6. ¿Qué debes eliminar completamente de tu vida? Hay ciertos hábitos o relaciones en tu vida que no te dejan avanzar. Identifícalos y reformula estos aspectos. También medita respecto hacia dónde vas con lo que estás haciendo y si con quienes te estás relacionando te lleva a crecer, te reta a ser mejor o, por el contrario, te llena de miedos.

7. ¿Qué debes hacer menos? Analiza qué acciones te alejan de tu propósito de vida. Probablemente son pequeñas distracciones que te hacen perder tiempo y te desenfocan de lo verdaderamente importa para ir tras tus sueños y construir tu proyecto de vida.

8. ¿Qué debes hacer más? Para estar cada vez más cerca de lograr tu objetivo necesitas reconocer qué debes empezar a hacer a partir de este momento. Ya cambiaste algunos hábitos, ahora relaciónate con personas distintas que te impulsen a crecer.

Detente y haz un inventario de tu vida para que puedas liderarte. Responde estas preguntas en todas las áreas: espiritual, emocional, física, profesional y familiar. Haz con ellas un inventario de cómo te encuentras, a dónde quieres llegar y qué tan cerca o lejos estás de tu propósito. Cuando lo descubras, piensa intencionalmente en los cambios que necesitas realizar en tu vida para poder crecer y ¡toma decisiones!

ACCIÓN TRANSFORMADORA

Nro. 54: Analiza el estado en el que te encuentras hoy. Identifica a qué distancia estás de tus objetivos.

REFLEXIONA Y ACTÚA:

Realiza las ocho preguntas que presentamos hoy y analiza cómo está tu vida espiritual y emocional, ¿qué encontraste?

_____
_____
_____
_____

¿Qué decisiones vas a tomar?

_____
_____
_____
_____

Realiza las ocho preguntas que presentamos hoy y analiza cómo está tu vida profesional, ¿qué encontraste?

_____
_____
_____
_____

¿Qué decisiones vas a tomar?

_____
_____
_____
_____

Realiza las ocho preguntas que presentamos hoy y analiza cómo está tu vida familiar y tu salud, ¿qué encontraste?

_____

_____

_____

_____

¿Qué decisiones vas a tomar?

_____

_____

_____

_____

Devocional 55
Analiza

Dice la Biblia en el libro de Génesis que Dios después de terminar la creación observó todo lo que había hecho y vio que era bueno en gran manera (Génesis 1:31). Dios se tomó un tiempo para analizar todo lo que había creado.

En el devocional anterior hicimos un balance para reconocer cuál era nuestro estado, y basados en eso, tomar decisiones de cambio que nos permitieran proyectarnos para alcanzar aquello que anhelamos en nuestro corazón. Dios nos dio la capacidad de soñar, pero también de hacer realidad nuestros sueños.

Todos en algún momento hemos llegado a criticar nuestra condición actual y hemos decidido cambiar. Sin embargo, a medida que pasa el tiempo esos propósitos se van quedando a la mitad del camino. En consecuencia, nos frustramos y volvemos a hacernos promesas, como «este año sí lo haré».

Así como Dios se detuvo a observar su creación, nosotros también podemos analizar lo que hemos hecho en función de nuestros objetivos, así como los que no hemos logrado. Para ello, estudiaremos las cinco razones por las cuales los sueños no se logran.

1. No damos el primer paso: por lo general, cuando nos trazamos un propósito muy grande, este puede llegar a parecernos inalcanzable. Pero la única manera de acercarnos, así sea poco a poco, es dando el primer paso. Empieza por pensar en cosas pequeñas que se relacionen con tus grandes objetivos.

En Proverbios dice que el perezoso siempre sacará algún pretexto para no trabajar como: «Es que hay un león allá afuera y si salgo me puede matar» (Proverbios 22:13). Y es que la causa más común por la que no logramos nuestros sueños es porque no lo intentamos y nunca empezamos. Vemos nuestro sueño tan grande que nos parece imposible y fijamos nuestra mirada en la cantidad de obstáculos y leones hambrientos que se pueden presentar. Pero recuerda que con Dios nuestros sueños son posibles; solo debemos caminar hacia ellos.

2. No perseveramos en el camino hacia nuestros sueños: esto quiere decir que damos el primer paso, nos lanzamos a un proyecto con entusiasmo, pero las situaciones que se presentan en el trayecto nos desaniman y poco a poco nos vamos alejando, hasta que cambiamos de dirección.

Jesús dijo que después de poner la mano en el arado no podemos mirar atrás (Lucas 9:62). Y aunque se estaba refiriendo a la relación que tenemos con Él y al hecho de seguirlo, también es aplicable a otras áreas de nuestra vida. Después de trazarte un objetivo y empezar a trabajar no mires atrás, no te desanimes. Sé constante, persiste, insiste y resiste.

3. No tenemos un plan definido: la tercera razón por la que no alcanzamos nuestros sueños es porque no hay un plan de acción sino muchos buenos deseos e intenciones maravillosas. Pero ¿sabes algo? Aunque es muy popular decir y creer que los sueños se cumplen con solo desearlos fervientemente, en realidad no es así.

Ver nuestros sueños cumplidos es el resultado de trabajar en pro de ellos. Y la mejor manera de hacer esto es a través de acciones concretas y diarias que ejecutas para estar más cerca de aquello que anhelas. ¿Estás orando a Dios para que te dé una casa, un carro o un emprendimiento? Tal vez le estás pidiendo que restaure tu hogar, pero te pregunto, ¿cuál es tu plan?, ¿cuáles son las acciones que vas a emprender?

4. Escuchamos a las personas equivocadas: otra de las razones y errores más frecuentes para perder el camino hacia nuestras metas es rodearnos de las personas equivocadas. Debemos tener cuidado con aquellos que destruyen la fe, que matan los sueños y los propósitos y que generan tal desánimo que nos alejan del camino.

La Biblia nos narra que cuando Jesús fue a sanar a la hija de Jairo mandó a sacar de la casa a todos los que se burlaron de Él, es decir a todos los incrédulos, a los que no tenían fe. Con Él solo entraron Jairo y su esposa, junto a tres de los discípulos (Marcos 5:21-43).

Analiza quién te rodea y pregúntate: ¿mis amigos me animan o desaniman?, ¿te impulsan a seguir o te detienen?, ¿te llenan de miedos o te retan a crecer? Es importante identificar a quién estamos escuchando. La Biblia dice que no nos equivoquemos, porque «las malas conversaciones corrompen las buenas costumbres» (1 Corintios 15:33-34).

5. No pensamos en nuestros sueños: la última razón es porque nuestra atención no está en aquello que anhelas. Debes vivir tus sueños, levantarte todos los días pensando en ellos y trabajar por alcanzarlos. Cuando centras tus pensamientos en tus objetivos los alimentas todos los días.

Es probable que te estés preguntando cómo se alimenta tu sueño. Pues déjame decirte que cuando lees, te capacitas y te rodeas de las personas que tienen ese mismo sueño, estás nutriendo cada fibra del mismo. Al hacer todo esto estás creciendo poco a poco y sin darte cuenta te estás preparando para el momento justo cuando llegue tu oportunidad.

En la Biblia nos hablan de Abraham, conocido como el Padre de la fe a quien Dios le había prometido un hijo. Pasaron

25 años hasta ese preciado momento en el que logró ser padre, pero durante ese tiempo le preguntaba a Dios por su promesa porque veía que se hacía viejo. En esos momentos, el Señor lo llamaba y le decía: «Mira las estrellas. No las puedes contar ¿cierto? Pues así será tu descendencia». De esta manera, hacía que Abraham pensara en su sueño y que se deleitara.

ACCIÓN TRANSFORMADORA

Nro. 55: Analiza porqué razón no has logrado
alcanzar aquello que deseas y toma decisiones.

REFLEXIONA Y ACTÚA:

¿Ya diste el primer paso?

_____

_____

_____

_____

¿Qué has hecho para emprender tu camino
hacia lo que tanto deseas?

_____

_____

_____

_____

¿Cuál es tu plan de acción para continuar?

_____

_____

_____

_____

¿Cómo reaccionas ante los problemas o
dificultades que aparecen en el camino?

_____

_____

_____

_____

¿Quiénes te rodean, quiénes son tus amigos?

_____

_____

_____

_____

¿Te animan o te desaniman?

_____

_____

_____

_____

¿Te impulsan a seguir o te detienen?

_____

_____

_____

_____

¿Te llenan de miedos o te retan a crecer?

_____

_____

_____

_____

Devocional 56

Desea

La Biblia dice que Dios está muy cerca de quienes le invocan de verdad y que «cumple los deseos de los que lo honran» (Salmo 145:18-19). En otro Salmo nos encontramos con lo siguiente: «Deléitate asimismo en Jehová y Él te concederá las peticiones de tu corazón» (Salmo 37:4). Este mismo texto, pero en otra versión expresa: «Entrégale a Dios tu amor, y Él te dará lo que más deseas».

Fíjate en algo muy importante: Dios está dispuesto a cumplir los deseos de nuestro corazón. Pero como ves en ambas versiones, primero debemos entregarle nuestra vida y deleitarnos en Él. Ahora, la pregunta es si tienes claro lo que deseas realmente.

Considera que aquello que tanto admiras hoy por su grandeza, inició con una pequeña idea que se alimentó hasta el punto de convertirse en un fuerte deseo, y luego en una gran realidad, como sucedió en la siguiente historia.

Un 17 de diciembre del año 1913, en un pueblo pesquero de Estados Unidos, dos hermanos lograron hacer realidad un sueño después de cuatro años de muchos experimentos: los hermanos Wright construyeron el primer avión. Apenas este logró sostenerse en el aire, ellos pudieron realizar su primer vuelo. Tuvo un recorrido de 36 metros, se elevó a unos pocos centímetros del suelo y se mantuvo por solo 12 segundos. Pero esa fue la primera vez que un ser humano volaba en un aparato controlado con un motor. Fue un suceso sin precedentes.

Gracias a esa idea, a cada intento y a ese pequeño logro de los hermanos Wright en 1913, hoy los aviones recorren miles de lugares a diario. Fueron muchos años de experimentos fallidos, y otros acertados; de obstáculos que tuvieron que superar sin ver el resultado esperado, así como de muchos avances que los hacían estar más cerca de la meta. Así fue como una idea producto de la curiosidad fue alimentada hasta convertirse en un fuerte deseo. ¡Y esa es la clave! Personas con grandes ideas hay muchas, pero con un deseo ferviente, pocas.

Para el *Diccionario de la lengua española,* la palabra *desear* significa: «anhelar que acontezca o deje de acontecer algún suceso». De igual modo, el término está definido como un: «anhelo de manera vehemente». Es decir que el deseo es un anhelo con una fuerza viva, imparable, imposible de detener y lleno de pasión.

¿Recuerdas que en el devocional anterior mencionamos que no basta con soñar y tener buenas ideas si no trabajamos en ellas? Cuando hay un deseo ferviente en nuestro corazón, alimentamos esos pensamientos por pequeños que parezcan. El fervor por una idea que tenemos es un ingrediente fundamental, el cual imprime movimiento, reacción y pasión a nuestro sueño.

Este también fue el secreto que aplicaron muchos personajes bíblicos para alcanzar su milagro. De hecho, en los evangelios nos encontramos con la historia de una mujer conocida como la cananea (Mateo 15: 21-28) o la sirofenicia (Marcos 7; 24.30).

En una oportunidad, Jesús pasó cerca de donde se encontraba esta mujer y ella se enteró. Entonces, empezó a gritar en medio de la multitud diciendo: «Jesús, Hijo de David, ten misericordia de mí», pero nadie le prestaba atención, ni siquiera Jesús. Sin embargo, ella siguió gritando, porque deseaba que su hija fuera libre de un demonio que la atormentaba.

Pero la Biblia relata que mientras ella seguía insistiendo, Jesús no le respondió ni una palabra. Luego los discípulos le pidieron al Maestro que despidiera a esta mujer, porque ellos consideraban que ya estaba muy desesperante. Entonces, Él se dirigió a ella y le dijo: «Mira mujer, la verdad yo he venido a mi pueblo y tú eres una extranjera. Primero hay que dejar satisfechos a los hijos, porque no está bien darles el pan de los hijos a los perros». En respuesta, la cananea no se desanimó, ni se amilanó; se postró ante Jesús con una fe determinante y le contestó: «Es cierto, Señor. Pero hasta los perros que están debajo de la mesa pueden comer las migajas que dejan caer los hijos». Entonces Jesús le contestó: «¡Qué buena respuesta! Vete tranquila a tu casa que tu hija ya no tiene ningún demonio». Y su hija fue sana en esa misma hora.

Esta mujer logró ver su milagro por tres razones, ¿quieres saber cuáles fueron? En primer lugar, porque **sabía lo que deseaba**: ella quería la liberación de su hija. En segundo lugar, **porque acudió a la persona correcta:** se acercó a Jesús. Por último, vemos que ella **insistió y permaneció firme.** Esta mujer estaba segura de que, si Jesús le daba una palabra, su hija podía ser sana. Así que no permitas que nada te desanime, aférrate a Dios, entrégate a Él y Él te concederá las peticiones de tu corazón.

ACCIÓN TRANSFORMADORA

Nro. 56: Convierte tu idea en un fuerte deseo, acude a las personas correctas y permanece firme.

REFLEXIONA Y ACTÚA:

¿Qué idea o ideas tienes?

_____

_____

_____

_____

¿Qué te apasiona realmente?

_____

_____

_____

_____

¿Cómo crees que puedes convertir tus ideas en un deseo ferviente?

_____

_____

_____

_____

Uno de los secretos para alcanzar tus sueños es la perseverancia, ¿cuál es tu mayor debilidad para lograrla?

_____

_____

_____

_____

Devocional 57
Actúa

Estoy seguro que hasta este momento has tenido tiempo para pensar con claridad respecto a qué es aquello que deseas alcanzar. Si es así, y ya lo sabes con certeza, el siguiente paso que debes dar es actuar. Presta atención y analiza el siguiente proverbio «El perezoso desea, pero no consigue; el que trabaja duro logra lo que quiere» (Proverbios 13:4).

Conozco una historia sobre un hombre que recibió la visita de un ángel, el cual le dijo que le esperaba un futuro fabuloso, porque se le daría la oportunidad de ser muy rico, de lograr una posición importante y respetada dentro de la comunidad y de casarse con una mujer hermosa.

Los años transcurrieron desde aquel día, pero aquel hombre se pasó su vida esperando que los milagros prometidos llegaran. Lamentablemente, eso nunca pasó. Así que al final murió solo y pobre. Cuando llegó a las puertas del cielo, vio al ángel que lo había visitado en su juventud, y como es de esperarse, lo primero que hizo fue protestarle diciendo: «Tú me prometiste riqueza, una buena posición social y una bella esposa. Pero me pasé la vida esperando en vano. No ocurrió nada de lo que dijiste». Ante la queja, el ángel le respondió: «Yo no te hice esa promesa. Te prometí la oportunidad de tener riquezas, de una buena posición social y de una esposa hermosa. Si te fijas bien, te prometí la oportunidad».

El hombre intrigado y confundido se quedó sin entender la respuesta del ángel. Entonces, este prosiguió: «¿Recuerdas que una vez tuviste la idea de montar un negocio, pero tuviste miedo de fracasar, te detuviste y no continuaste?». En efecto, el hombre recordó que así fue y asintió con su cabeza. El ángel siguió: «Como abandonaste ese proyecto, años más tarde se le dio a otro hombre que no permitió que el miedo al fracaso le impidiera actuar. Él se convirtió en uno de los hombres más ricos de la ciudad».

Luego el ángel continuó: «¿Recuerdas aquella ocasión en que un terremoto asoló la ciudad, muchos edificios se derrumbaron y miles de personas quedaron atrapadas en ellos? Allí tuviste la oportunidad de ayudar a rescatar a los sobrevivientes, pero no quisiste dejar tu casa por miedo a que unos ladrones robaran tus pocas pertenencias. Así que ignoraste la petición de ayuda y te quedaste en tu casa». Con mucha vergüenza, el hombre lo reconoció. De nuevo el ángel habló: «Esa fue la gran oportunidad que tuviste de salvarle la vida a cientos de personas y ganarte su respeto».

Por último, el ángel dijo: «¿Recuerdas aquella hermosa mujer que te atraía tanto? La creías incomparable a cualquier otra y nunca conociste a nadie igual. Sin embargo, pensaste que ella nunca se casaría con alguien como tú. Tuviste miedo a que te rechazara, así que nunca le hablaste. Ese temor te hizo perder la oportunidad». El hombre lo volvió a aceptar, esta vez con las lágrimas recorriendo sus mejillas. Entonces, el ángel concluyó: «Sí, amigo mío, ella pudo haber sido tu esposa y juntos hubiesen tenido la bendición de tener hermosos hijos» (Pérez, 2006).

Esta historia nos invita a pensar en algo muy importante: durante nuestra vida, todos tenemos oportunidades que a veces dejamos pasar a causa de nuestros miedos e inseguridades. Deseamos mucho, queremos resultados sorprendentes... pero no actuamos.

El apóstol Pablo dijo: «no considero haber llegado ya a la meta, pero esto sí es lo que hago: me olvido del pasado y me esfuerzo por alcanzar lo que está adelante» (Filipenses 3:13). Con estas palabras, el mensaje que él nos quiso transmitir es que debemos estar dispuestos a proseguir por el objetivo. Tú tienes la capacidad de caminar en pos de tu sueño, ¡no pierdas las oportunidades que se te presentan a causa del miedo!

Dios nos brinda oportunidades a través de personas, lugares y circunstancias, para que nosotros tomemos decisiones que nos lleven a crecer. No esperes que llegue el momento perfecto para empezar, porque ese momento es hoy. Solo si accionas estarás cada vez más cerca de la meta.

Es tiempo de tomar decisiones; esfuérzate por alcanzar lo que Dios tiene para ti. Si en el pasado cometiste errores, simplemente debes aprender de ellos, levantarte y volver a empezar. Retoma tu rumbo. No te quedes deseando, pasa a la acción, porque nadie actuará por ti. ¡Es tu sueño! ¡Es tu responsabilidad alcanzarlo!

ACCIÓN TRANSFORMADORA
Nro. 57: Pasa de los deseos a la acción.

REFLEXIONA Y ACTÚA:
¿A qué le tienes miedo?, ¿por qué no has dado el primer paso?

_____
_____
_____
_____

¿Qué oportunidades has dejado escapar a causa del miedo?

_____
_____
_____
_____

¡Actúa! ¿Qué cosas decides hacer hoy para emprender el camino hacia tu meta?

_____
_____
_____
_____

¿Qué harás todos los días?

_____
_____
_____
_____

Devocional 58
Define tus prioridades

En una oportunidad, un profesor se puso de pie ante sus alumnos y colocó frente a ellos unos objetos: un frasco, unas piedras grandes, otras pequeñas y un poco de arena. Cuando la clase comenzó, sin pronunciar palabra, levantó el envase, el cual llenó con unas pocas piedras grandes. Entonces les preguntó a sus estudiantes: «¿El frasco está lleno?». Todos estuvieron de acuerdo en que sí lo estaba.

Luego tomó las piedras más pequeñas y las echó en el frasco. Estas rodaron a los espacios vacíos que había entre las más grandes. De nuevo, el profesor les preguntó a los alumnos: «¿El frasco está lleno?». Ellos respondieron afirmativamente, aunque esta vez con un poco de duda.

Después agarró una medida de la arena y llenó los espacios vacíos que quedaban. Finalmente les preguntó a sus alumnos: «¿El frasco está lleno?». Todos respondieron que sí.

Entonces el profesor tomó la palabra y les dijo: «Este frasco representa sus vidas. Las piedras grandes son las cosas importantes: Dios, la familia, la salud; es decir, todo lo que queda cuando lo demás se va. Las más pequeñas son otras cosas que importan, pero de las que no dependemos para vivir. Estas pueden cambiar, como el trabajo, las posesiones. Por último, la arena es todo lo demás». Luego añade: «En la vida ocurre igual que en el frasco; si gastamos todo el tiempo y nuestra energía en cosas pequeñas, pues nunca vamos a tener recursos para ocuparnos de las cosas que son importantes de verdad».

El profesor cerró con este mensaje: «Presten más atención a las cosas que son indispensables para su felicidad. Busquen de Dios, crezcan espiritualmente, disfruten la familia y cuiden su salud. Den prioridad a esto, porque son las cosas que realmente importan» (Sánchez, 2018).

¿Te imaginas si el frasco se hubiera llenado primero de arena? Pues no hubiese quedado espacio para nada más, ¿cierto? El espacio disponible dependía del orden en que se introdujeron los objetos. La clave estaba en priorizar.

Priorizar es reconocer y saber qué es lo más importante. La razón por la cual no alcanzamos muchas de nuestras metas es porque perdemos el tiempo y nos desgastamos en aquello que no es necesario ni importante.

Estamos viviendo en una era llena de distracciones, rodeados de miles de ofertas que nos mantienen ocupados. Esto puede incidir de forma negativa en el cumplimiento de nuestros sueños, porque a veces iniciamos una tarea y luego terminamos abandonándola para hacer otra. En pocas palabras, nuestra atención no está fija en un objetivo; estamos ocupados sí, pero no enfocados.

Aprender a priorizar nos lleva a tener un criterio claro al momento de tomar decisiones. Para el apóstol Pablo, lo más importante era Dios; servirle era su meta, su prioridad inamovible.

Vale la pena preguntarnos: ¿qué dice la Biblia acerca de las prioridades? Jesús dijo que el primer y más grande mandamiento es: «amar al Señor nuestro Dios con todo nuestro corazón, con toda nuestra alma y con toda nuestra mente» (Mateo 22:37). Antes de iniciar el día conéctate con Dios, porque sin Él nada podemos hacer (Juan 15:5).

La segunda prioridad es la familia. La Biblia invita a que los hombres amen a su esposa, así como Cristo a la iglesia, tanto que se entregó por ella. De igual modo, anima a la mujer a respetar a su esposo. En Éxodo 20:12 leemos que debemos honrar también a nuestros padres para que disfrutemos de larga vida en la tierra que el Señor nuestro Dios nos da. De hecho, este es el primer mandamiento que contiene una promesa. Además, la palabra de Dios también nos exhorta diciendo que aquel que no cuida la familia es peor que un incrédulo, y en 1 de Juan 4:20 dice: «Si alguno dice yo amo a Dios y aborrece a su hermano, ese es mentiroso. Pues si no ama a su hermano, a quien ha visto, cómo puede amar a Dios, a quien no ha visto». En definitiva, debemos amar a nuestra familia, pero también cuidarla y honrarla.

La tercera prioridad es amarnos a nosotros mismos. Es muy frecuente ver a personas que hacen mucho por los demás y poco para sí mismas. Pero la realidad es que no existe manera de estar bien con otros si no estamos bien con nosotros. Recuerda que lo que proyectamos y damos es en la medida y de acuerdo con lo que somos y tenemos en nuestro corazón.

La Biblia dice que debemos amar a nuestro prójimo como a nosotros mismos (Mateo 22:39). Por esto es tan importante velar por nuestro bienestar de manera integral, entendiendo que requerimos tener un crecimiento espiritual, personal, así como un bienestar emocional y físico. Te aconsejo que tomes tiempo para descansar, alimentarte bien y cuidar tu salud. Ámate, para que puedas hacerlo con otros, y cuídate para que puedas cuidar de otros.

Nuestra formación y desarrollo profesional. La Biblia dice que no debemos comer el pan en balde, sino que trabajemos de día y de noche para no ser carga para ninguna persona (2 de Tesalonicenses 3:8). Trabajar es sinónimo de servicio y provisión, porque nos estamos dedicando a una labor en la cual otros van a ser beneficiados, además, el fruto de nuestro trabajo nos dará la capacidad de tener lo que necesitamos y no ser carga para nadie, sino que podremos proveer. Por tanto, es necesario capacitarnos para ser cada vez más aptos, idóneos y valorados a causa de nuestra labor.

Servir a Dios y la iglesia. Una cosa es nuestra conexión con Dios y otra el servicio a la Iglesia. Para analizar esta diferencia estudiemos el ejemplo de Marta, la hermana de María y de Lázaro. Cuando Jesús fue a visitarlas, María se sentó a los pies de Jesús para escucharlo, mientras que Marta se dedicó a los quehaceres de la casa para servirle. Cuando ella protestó porque su hermana no le ayudaba, Jesús le dijo: «Marta, estás muy afanada, estás muy perturbada, estás sirviendo; pero solo una cosa es importante ahora y María lo está haciendo».

En ese momento, lo más importante era la conexión que había logrado María con Jesús, y que Marta, por estar tan ocupada, no había logrado. Asistir a la Iglesia nos permite formarnos para crecer espiritualmente. Sin embargo, es importante aclarar que: primero, la iglesia no está por encima de Dios; incluso podemos asistir a una congregación y no estar conectados con Dios, sirviendo, pero sin escucharlo como Marta. Segundo, la iglesia no está por encima de la familia, no podemos dedicarnos a servir y descuidar a los nuestros. Nuestra familia es la responsabilidad más grande que tenemos ante Dios.

Definir prioridades implica preguntarte qué es importante y de qué manera invertirás tu tiempo en función de ello. En el Devocional 51 hablamos acerca del tiempo como nuestro mejor activo. Así que reflexiona y respóndete: ¿cómo lo estoy administrando? La idea es que acciones basado en las cosas que son prioridad.

ACCIÓN TRANSFORMADORA

Nro. 58: Organiza tu tiempo y dale prioridad
a lo verdaderamente importante.

REFLEXIONA Y ACTÚA:

¿Cuáles son tus prioridades?

_____

_____

_____

_____

¿Cómo estás administrando tu tiempo?

_____

_____

_____

_____

¿Qué haces durante un día?

_____

_____

_____

_____

Reorganiza tu vida. De acuerdo con lo que aprendiste
hoy, ¿qué cambios debes empezar a realizar?

_____

_____

_____

_____

Devocional 59
Determínate

U na de las historias de vida más extraordinaria que he conocido es la de Malala Yousafzai, ¿la conoces? Malala es una mujer pakistaní que desde muy niña empezó a escribir un blog, bajo un seudónimo, sobre la actividad militar que había en Pakistán y sobre el temor que ella tenía en que su escuela fuera atacada por admitir la educación de las niñas. Tiempo después se reveló su identidad, y de allí en adelante ella y su padre empezaron a pronunciarse a favor del derecho de la educación para las niñas.

Cuando tenía quince años, un hombre se subió al autobús escolar en el que ella regresaba a casa y preguntó por ella, la llamó por su nombre, sacó un arma con la que le apuntó y le disparó en tres ocasiones. Una de las balas le dio en el lado izquierdo de su frente.

Milagrosamente se salvó, y lo más impresionante es que, pese a este atentado a tan corta edad, ella no se detuvo. Siguió trabajando en pro de la educación infantil y entre los años 2013 y 2015 se convirtió en una de las cien personas más influyentes del mundo. En el 2014, con apenas diecisiete años, ganó el Premio Nobel de la Paz (ONU, 2017). Sin duda, Malala es una mujer con determinación.

Desear, actuar y priorizar es importante, pero si no tenemos decisiones firmes y convicciones fuertes que movilicen nuestra vida, no daremos lo mejor ni mucho menos nos exigiremos. Permanecer firme en nuestros ideales y sueños no es fácil, puesto que implica continuar a pesar de enfrentar muchos obstáculos, así tomar decisiones que implican renunciar a todo aquello que nos aleja de nuestro proyecto de vida.

Sé determinado en todo lo que emprendas. El apóstol Pablo escribió que debemos correr de tal manera que seamos ganadores (Hebreos 12:1 - 1 Corintios 9:24). Da lo mejor de ti, y exígete ser mejor de lo que eras el día anterior, en todas las áreas de tu vida: en la relación con tus hijos, con tus padres, con tu pareja, tus hermanos; en tu entorno laboral y profesional, tu salud y, por encima de todo, en tu conexión con Dios. Como dice Pablo, esfuérzate para convertirte en un ganador.

La Biblia dice que Dios desea que seamos prosperados en todas las cosas, así como nuestra alma también prospera (3 Juan 1:2). Eso sí, nuestra prosperidad debe ser integral en espíritu, alma y cuerpo; ese es el deseo de Dios. Pero esa prosperidad tiene un costo; nos demanda objetivos claros, acciones concretas, toma de decisiones, administración efectiva del tiempo y la fortaleza para no rendirnos.

¡Que nada te detenga! Dios tiene el poder para bendecirte, pero debes estar dispuesto a ir por ese milagro a través del mar agitado y con el viento en contra.

El secreto para crecer espiritualmente es ser fiel a Dios y entregarle tu corazón para que empieces a ser transformado. De esta manera crecerás y darás frutos en todas tus áreas y serás un testimonio de vida para que puedas liderar a tu familia.

Determínate a ser mejor. Mantente firme en ese deseo ferviente de ser prosperado en todas las áreas de tu vida y camina hacia la meta con determinación para que puedas liderarte a ti mismo.

ACCIÓN TRANSFORMADORA

Nro. 59: Mantén una convicción fuerte y decide ser mejor todos los días de tu vida.

REFLEXIONA Y ACTÚA:

¿Quieres liderar tu propia vida, lograr tus sueños para ser bendecido y bendecir a otros?

_____

_____

_____

_____

Ya viste que no es cuestión solo de soñar o de desear, sino de trabajar en tu proyecto de vida y Dios hará fructificar tu esfuerzo. ¿Qué estás dispuesto a hacer para liderar tu propia vida?

_____

_____

_____

_____

¿Cómo puedes definir la palabra determinación?

_____

_____

_____

_____

¿Eres una persona determinada?

_____

_____
_____
_____

¿Qué debes fortalecer en ti para lograrlo?

_____

_____
_____
_____

Ya Dios sanó tu corazón, estás construyendo una familia sana y planeando tu proyecto de vida para ser bendecido y bendecir a otros a través del fruto de tu trabajo. Aprendiste que Dios quiere que seas prosperado en todas las áreas de tu vida, pero que lograr eso requiere tu compromiso y esfuerzo. Jamás olvides que Dios es el centro de tu vida. Él es tu principio y tu fin (como en este libro). Todo lo que emprendas debe girar en torno a la persona de Jesús, quien es el puente que te conecta con Dios. ¡Pon siempre tu mirada en Jesús!

Devocional 60
Mira a Jesús

Cuando leemos la Biblia en el Pentateuco, vemos que Dios cuidó y sustentó a su pueblo cada día, durante el tiempo en el que estuvieron en el desierto, después de salir de la esclavitud en Egipto. Él les dio de beber para saciar su sed, haciendo brotar agua de una roca en pleno desierto, y como si fuera poco, les enviaba el maná todas las mañanas, para calmarles el hambre. El Señor les proveyó conforme a sus necesidades y los protegió de los peligros del desierto.

Sin embargo, este pueblo se quejó contra Dios y decían que querían volver a Egipto, aunque allí eran esclavos, explotados y maltratados ¡pero ellos querían volver a esa condición! En su terquedad e ingratitud, le dijeron a Moisés que estaban cansados de alimentarse siempre del «insípido maná». Se justificaban diciendo que extrañaban el pescado, los pepinos, los melones, los puerros, las cebollas y los ajos que comían gratis en Egipto (Números 11: 4-9), como si hubiesen olvidado que el costo de esa gratuidad era la esclavitud; pagaban esa comida a costa de su libertad.

Después de un tiempo, esa queja produjo en ellos algo terrible. Recuerda que cuando nos quejamos abrimos puertas al enemigo, y eso fue lo que pasó. La Biblia dice que se levantaron unas serpientes venenosas y empezaron a morder a todo el pueblo. Como resultado, mucha gente murió en el desierto por las mordeduras.

Cuando el pueblo empezó a ver tanta mortandad, decidieron pedirle ayuda a Dios y le dijeron a Moisés: «Por favor, intercede ante Dios por nosotros. Dile que nos libere de esas serpientes». Entonces el pueblo confesó su pecado y le pidió perdón al Señor por su mal comportamiento. Luego, Moisés oró por el pueblo y Dios le respondió: «Construye una serpiente de bronce y ponla sobre una asta. Cualquiera que fuere mordido la mirará y vivirá».

Aunque el pueblo debía mirar a la serpiente de bronce, debían creer en el poder de Dios para sanarlos y salvarlos de la muerte.

Así como el pueblo de Dios se salvó de morir en pleno desierto por mirar y creer en lo que Él le había provisto para su sanidad, hoy tú y yo somos —y seremos siempre— bendecidos en todas las áreas de nuestra vida por poner nuestra mirada en Jesús.

Debes poner tu mirada en Jesús, porque nadie te puede amar como Él. Si te has enfocado en todos tus problemas, has buscado respuesta en diferentes direcciones y no encuentras una salida, vuelve tu mirada a aquel que es el autor y consumador de nuestra fe. Porque, así como hizo con los israelitas, Dios puede sacarte de ese desierto, calmar tu hambre, saciar tu sed, sanarte, salvarte de la muerte y llevarte hacia una tierra de libertad. Mira a Jesús y sé libre.

Cuando te sientas solo, decepcionado, abandonado o traicionado y no sientas esperanza, mira a Jesús.

Él es amor, uno inquebrantable y del cual, nada ni nadie te podrá separar.

Jesús es perdón, no importa lo que haya pasado, en Dios siempre hay nuevas oportunidades.

Jesús es sanidad, y dice la Biblia que por su llaga fuimos nosotros curados, y que Él llevó todas nuestras angustias, nuestros dolores en la cruz (Isaías 53:5). Así que, si estás enfermo física o emocionalmente, permítele sanarte.

Jesús es poder, Él venció a la muerte, dejó la tumba vacía. Si te sientes a punto de desmayar y piensas que no puedes más, recuerda que Él es invencible y está contigo.

Jesús es el camino, la verdad y la vida (Juan 14:6). Si te sientes perdido, búscalo y comienza a caminar en otra dirección.

Mira a Jesús: Él es amor, perdón, sanidad, poder y camino. Pon tu vida, tu familia y tus sueños en sus manos, tal como dice Salomón: «Pon en manos del Señor todas tus obras, y tus proyectos se cumplirán» (Proverbios 16:3). Permite que Dios sea el centro de tu vida. Todo tendrá otro sentido para ti, porque Él le da razón a nuestra existencia. Detente y regresa tu mirada a Jesús, porque Él es la respuesta a lo que necesitas.

ACCIÓN TRANSFORMADORA

Nro. 60: Vuelve tu mirada a Jesús.

REFLEXIONA Y ACTÚA:

Los israelitas decían que extrañaban lo que comían gratis en Egipto y se quejaban del maná que consumían. En tu caso ¿de qué te quejas hoy?

_____

_____

_____

_____

¿Dónde está tu mirada hoy, en Jesús o en tus problemas?

_____

_____

_____

_____

Los israelitas estaban enfermos y necesitaban ser sanados, ¿cuál es tu situación hoy y qué necesitas?

_____

_____

_____

_____

Referencias

Las historias aquí registradas fueron tomadas y adaptadas para efectos de la comprensión del mensaje en toda Latinoamérica. Si deseas ampliar información, puedes consultar los textos aquí referenciados o visitar los enlaces.

Bibliografía

Bucay, J. (2015). *El elefante encadenado.* Editorial: Océano Travesía. Buenos Aires, Argentina.

Campos, S. (2016). *Imposible no tropezar con Dios.* Editor: Catholic-link.

Castellanos, L. (2012). *Reflexiones diarias.* Editorial Lulu. com. Maracaibo (Venezuela).

Cunningham, G. (1981). *Never Quit.* Editorial Chosen Books Pub Co. Estados Unidos.

Grimaraldo, L. (2014). *Una y otra vez.* Editorial San Pablo.

Johnson, S. (2000). *¿Quién se ha llevado mi queso?* Editorial: Ediciones Urano. España.

Judd, I. (2013). *Sobre las nubes.* Editor: Pengüin Random House Grupo Editorial. México.

Lerín, A. (1966). *500 ilustraciones.* Editorial Mundo Hispano. Texas (Estados Unidos), p. 17.

Martínez, J. & Criswell, W. (1994). *502 ilustraciones selectas.* Editorial Mundo Hispano. Texas (Estados Unidos), p.137.

Palau, L. (2011). *Transformado por la fe.* Editor: Tyndale House Publishers. Estados unidos de América, p. 124.

Parra, E. & Madero. Ma (2004). *Actitudes sabias.* Panorama Editorial. México, D.F.

Pérez, C. (2006). *36 estrategias chinas.* Editorial: Librosenred.

Rittner, M. (2012). *Y si no es ahora, ¿cuándo? Sobre la urgencia de vivir la vida.* Grupo Editorial: Penguin Random House. México.

Robleto, A. (1980). *501 Ilustraciones nuevas.* Editorial Mundo Hispano. Texas (Estados Unidos), p.96.

Rodríguez, R.& Rodríguez, P. (2018). *Adictos a su presencia.* Editorial: Charisma Media. Estados Unidos de América.

Shakespeare, W. (1998). *La tragedia del rey Ricardo III*.
Segunda edición. Editorial: UNAM. México D.F.

Editorial Sista. (2011). *Edúcalo con límites*. Editorial Sista.
México, D.F.

Vila, S. (2014). *Gran diccionario enciclopédico de anécdotas
e ilustraciones*. Editorial Clie. Barcelona, España.

Ciberbibliografía

Cadena, A. (2016). Artículo: "Deseos v. acciones". Tomado el día 31 de octubre de 2020 de https://bit.ly/3iMFvHk

Calderón, A. (2018). Historia: "Hasta que la puerta se abra". Tomado el día 26 de octubre de 2020 de https://bit.ly/3pXYfoK

Carranza, S. (s.f). Historia: "Rompiendo esquemas mentales". Tomado el día 28 de octubre de 2020 de https://bit.ly/3vqcle8

Ecured. (s.f). "Biografía Glenn Cunningham". Tomado el día 1 de noviembre de 2020 de https://bit.ly/3xEVWJZ

García, G. (2020). "Black Friday y crecimiento del e-commerce en Latinoamérica". Tomado el día 31 de octubre de 2020 de https://bit.ly/3cOOnIC

Haq, H. (2016). Tomado de BBC News Mundo. "5 lugares "secretos" donde están prohibidos los turistas" Tomado el día 30 de octubre de 2020 de https://bbc.in/2TDrmkS

Israel Noticias, S. (2018). Entrevista Walter Mischel. Noticia: "Psicólogo judío Walter Mischel creador de la «prueba de malvavisco»" fallece a los 88 años. Tomado el día 30 de octubre de 2020 de https://bit.ly/35s8OH7

Lopera, J. y Bernal, M (2016). Historia: "Compartir las semillas". Libro *La culpa es de la vaca tomo 2*. Tomado el día 29 de octubre de 2020 de https://bit.ly/3cNflQO

Naciones Unidas (2017). "Mensajeros de paz". Biografía: Malala Yousafzai. Tomado el día 2 de noviembre de 2020 de https://bit.ly/3wwElyf

Pérez, Y. (2019). Historia: "La vasija agrietada". Tomado el día 26 de octubre de 2020 de https://bit.ly/3zqD8zL

Prieto, J. y Forner, V. (2019). Historia: "Tu mayor tesoro". Tomado el día 27 de octubre de 2020 de https://bit.ly/3vxMtIU

Promonegocios (2012). Historia: "El árbol de los problemas". Tomado el día 27 de octubre de 2020 de https://bit.ly/3pYzlFi

Promonegocios (2012). Historia: "La donación de sangre". Tomado el día 28 de octubre de 2020 de https://bit.ly/35tmYry

Rocha, F. (s.f). "Historias para invertir en propiedades". Tomado el día 29 de octubre de 2020 de https://bit.ly/3q2eEIw

Sacristán, P. (s.f.). Historia: "Popi el alpinista". Tomado el día 27 de octubre de 2020 de https://bit.ly/3cKxv5u

Sánchez, E. (2018). "Fábula de las piedras". Tomado el día 30 de octubre de 2020 de https://bit.ly/3pZhrCz

Telefe Noticias. (2019). Noticia: "Dejó la puerta abierta y le robaron más de 25 mil dólares". Tomado el día 27 de octubre de 2020 de https://bit.ly/3cPuMIi

Wikipedia (2020). "Biografía Glenn Cunningham". Tomado el día 28 de octubre de 2020 de https://bit.ly/35q5BYJ

Made in the USA
Middletown, DE
04 December 2022